LÉO FERRÉ

I.S.B.N. : 2-221-00691-7.

CHARLES ESTIENNE

Léo Ferré

Poètes d'aujourd'hui
SEGHERS

PORTRAIT D'UN HOMME

Je gueulerai dans le silence...
(L'Opéra du ciel)

C'EST au cœur de Paris — rive gauche, le Vieux-Colombier de Copeau et Dullin, et du dernier Artaud — dans le noir bourdonnant préalable à la première cape entre un solitaire descendu de son affiche et ses clients, les anonymes assis, les ceux d'en face, les spectateurs (comme on est voyeur). C'est à jouer, et ça se joue déjà, entre deux bêtes de course, les deux bêtes de la course ; je veux dire le taureau dont certains supputent peut-être la mise à mort, et l'autre bête, je veux dire le public dont ce n'est pas médire de constater qu'il est plus souvent l'énorme Bêtise à front de taureau — comme dit Baudelaire — que le reflet possible de ces masses — comme disent les bourgeois — qui s'en vont au Mur des Fédérés ou de la Nation à la République. Dans cette chose qui bouge dans le noir, dans ces assis il y a de tout — de l'intellectuel progressiste, du populaire, — du rien — des bourgeois — du rire — des Parisiens à la page.

On doit tout de même ajouter ceci, qui justifie le public le plus public, le plus amorphe — et cette fois il y a en outre toutes les nuances du chaud au froid, de la sympathie à l'hostilité — c'est que son rôle dans le jeu est d'être amorphe d'abord, par définition ; comme toute matière dont tout artiste, voire tout poète, a en charge de faire quelque chose, sans quoi il ne fait rien, que des exercices de tour d'ivoire. Si d'une manière ou d'une autre la poésie ne change pas la vie, et le poète le monde, à quoi bon ? surtout en 1961. C'est pourquoi ce soir, janvier 1961, un homme invisible dont la gueule d'affiche est restée à la porte, est descendu sur la scène afin que la poésie descende dans la rue ; si c'est possible bien entendu...

C'est ainsi d'ailleurs qu'il apparaît quand le noir se lève comme un rideau. L'apparition en douce, mais inquiétante, d'un que les feux d'une traction avant en maraude découvrirait debout immobile et silencieux au coin d'une rue, bras ballants mais poings prêts, épaules basses pour charger si ça se présente, tout noir sauf une tache rouge au col, « le rouge pour naître à Barcelone, le noir pour mourir à Paris ». Mais ce soir on ne meurt pas, à Paris, on attaque.

Tu te balances compagnon
Comme une tringle dans le vent
Et le maroufle que l'on pend
Se fout pas mal de tes chansons
Tu peux toujours t'emmitoufler
Pour la saison chez Gallimard
Tu sais qu'avec ou sans guitare

On finit toujours sur les quais
La poésie fout l'camp Villon...

Ceci dit, où le littéraire — j'y reviendrai — recoupe curieusement le social, il chante ; et le public découvre avec étonnement que le chanteur pour intellectuels et nuls autres — disait-on — qui jadis passait dans les cabarets du quartier, épaules courbées sous la poisse et sur son piano, et des lunettes, a étrangement pris de la voix et des épaules. La voix physique, d'abord, bien sûr, d'évidence le temps de la musique et de la voix de chambre sont révolus, on passe la rampe comme on veut et quand il faut, la voix s'est chargée en métal, et jusqu'aux nuances du rauque voire de l'éraillé pour dire, comme on écrirait noir sur blanc « la poésie fout l'camp, François ».

Quel est ce chanteur de chansons qui se permet de tutoyer Villon en public ; qui signale aux poètes édités depuis Rimbaud — et quelques-uns sont de taille, s'ils n'écrivent pas en vers — qu'il y a aussi « le vers français » ; que l'image — dite poétique — la plus audacieuse et la plus nue, qu'elle soit paillette de l'âge d'or ou reflet d'une solitude absolue, est faite pour éclater dans l'espace réel, caresser la peau d'une femme ou brûler le nez d'une canaille ; que ceci qu'on écrit et édite — le poème — est animé d'un sens moral qui proteste de ne pas être social, de ne pas revendiquer, attaquer, affirmer par la voix même, la voix physique du poète, homme physique et moral parmi les autres ; donc que la poésie ne s'imprime pas seulement, mais... bref quel est ce monsieur, voix et chansons sur disques, qui se fout d'être un chansonnier et

7

prétend être un poète ? C'est Léo Ferré, qui à défaut de plaire désormais aux chansonniers syndiqués, aux spécialistes qualifiés et aux intellectuels en mal de Lamartine, se fait entendre et probablement comprendre des gens qu'on dit de la rue ; comme il leur a fait entendre, pour la première fois, Baudelaire.

La fête continue, on est même à la noce, si la noce n'amuse pas certains, car la noce est noire, comme disait l'autre ; naguères on s'en prenait à la société sous l'angle de ses avatars extérieurs — « Les vitrines », « Vise la réclame » — aujourd'hui on s'en prend directement aux assises fondamentales, aux principes, et puisque on est dans le concret, on s'attaque à la viande même de l'altesse puante et cruelle, on fait donner la figuration, on évoque les robots exécutoires et symboliques — « Miss Guéguerre », « La Maffia » —, on s'en prend de plein fouet aux « rupins », et pourquoi se taire, ô poètes, « sous prétexte que les bourgeois sont dans l'égout » ? « Un coup de sourdine », ce n'est pas le cas ce soir, « deux sous de combine », pourquoi faire, « pour mieux beurrer tes tartines, pour merdailler ta poitrine » ; non vraiment, il n'y a qu'une « présidence » valable à saluer dans cette corrida, c'est la tribune idéale où trône, plus vieux qu'Hérode et plus malin que Judas, cette entité noire sur fond rouge à qui l'on dit « Thank you Satan » :

Et qu'on ne me fasse point taire
Et que je chante pour ton bien
Dans ce monde où les muselières
Ne sont pas faites pour les chiens

8

Mais on ne remercie pas seulement, rire à l'envers, pour
tout cela, pour la vacherie du monde, pour l'asphyxiant
« sang noir » (Louis Guilloux) des éternels pendus de Montfaucon ; pour plus :

> *Pour le péché que tu fais naître*
> *Au sein des plus raides vertus —*
> *...Pour les poètes que tu glisses*
> *Au chevet des adolescents*
> *Quand poussent dans l'ombre complice*
> *Des fleurs du mal de dix-sept ans...*

Formulaire, presque, d'un testament recueilli au chevet
d'une vie morte — morte, sauf sa rage — par la vraie vie,
dont le « combat » est « aussi brutal que la bataille d'homme » ;
mais qui n'en débouche pas moins sur ce qu'on appelle
l'amour par la pente — à contre pente — de la poésie.

S'il y a un biais dans ce mouvement dialectique, ce biais
est une provocation : le péché, les fleurs du mal. Dans les
coulisses, à cet instant, sont entrés ces fantômes que sont les
dix-sept ans de Rimbaud et l'aphasie de Baudelaire. On
n'oubliera pas de sitôt, non, ce « crénom » qui fut le cri
testamentaire atroce de Baudelaire, l'onomatopée finale aux
« Litanies de Satan » ; maintenant ça commence pour de vrai,
pour de juste même ; il est bien possible que « la vision de
la justice soit le plaisir de Dieu seul », mais quoi ! on a
aujourd'hui « la vocation du bonheur » — soit dit en ces
termes si étrangement réservés —, et quant à Dieu, on soup-

çonne fortement, avec l'ami Picabia — autre anarchiste d'envergure — que « l'ombre de Dieu n'est qu'un homme au clair de lune ». Laissons cela, s'il vous plaît, cette ombre et ce clair de lune aux Nuits d'août des matinées poétiques au Théâtre Français, et allons à nos affaires.

Nos affaires sont l'amour et la poésie. Un salut d'abord à ceux qui... Ne disons pas qui ont « souffert » — vocabulaire d'élégie, et tous les élégiaques sont des canailles, n'est-ce pas Baudelaire — disons : un salut à ceux qui en ont bavé pour que ces mots, l'amour et la poésie, sinon soient les mêmes, du moins atteignent parfois à la même chose physique et mentale, à la seule identité possible « sous l'éternelle voûte immense qu'on prétend être les cieux » (L'Opéra du ciel).

Ces gens-là, les poètes, « drôles de types ». Il est bien connu que la poésie, comme l'amour, doit être faite par tous, non par un ; mais la poésie, nuance : il en est un parfois qui la fait pour tous ; et en attendant, cet « un » c'est le poète ; c'est les poètes, et pas de complexes pour le mot, sauf si l'on est intellectuel bourgeois-bourgeois. Et du reste cette « profession », correctement avouée et assumée — exemples : Baudelaire, Mallarmé, Rimbaud et quelques autres — procure certainement plus d'inconvénients que d'avantages, sauf évidemment pour ceux qui à cette heure sont Prince des Poètes, ou Prix Nobel.

Mais les autres... Drôles de types, on le répète, anonymes comme le gris des pavés, mais « quand ils marchent dessus ils se croient sur la mer », ô mythomanes, pauvres albatros !

Ils marchent dans l'azur la tête dans les villes
Et savent s'arrêter pour bénir les chevaux

10

Ils marchent dans l'horreur la tête dans les îles
Où n'abordent jamais les âmes des bourreaux

Donc salut. Et d'abord en cette fin d'hiver parisien :

O fin d'automne, hiver, printemps trempé de boue...

un salut à l'homme aux ailes de corbeau et au lit hasardeux, au Prince des « Brumes et Pluies », à Baudelaire. Et puis, avant de quitter « l'endormeuse saison », « Un rêve pour l'hiver » avec Rimbaud :

L'hiver nous irons dans un petit wagon rose...

Cette fois nous y sommes « c'est le dégel des amants », ô Jolie Môme ! Entre temps — ce qu'on appelle l'entracte — l'homme qui chante est passé dans l'ombre qu'on appelle coulisse pour changer de peau, sans doute, car il revient dans un « costard » pas « en anglais », oh non, ce serait plutôt dans le genre bure à constellation du père Hugo, sauf la coupe moderne évidemment, et la bure de la nuit n'est plus noire, la chanson file sur le bleu-pailleté léger d'une nuit de printemps qui d'ailleurs s'ouvre au soleil comme pas une :

T'es toute nue sous ton pull
Y'a la rue qu'est maboul'
Jolie môme

La corde ainsi attaquée sera tenue de même jusqu'au bout, jusqu'à l'épanouissement entier du propos, qui est le grand rêve ésotérique de « l'âge d'or ». Finalement on aura tiré

11

« les Quat'cents coups », on aura « téléphoné à la grande
ourse pour y louer un appartement », et puisque on y est dans
ce lieu, on y restera, au besoin comme des squatters. Le poète
est le squatter de la vie, avis aux amateurs. La poésie est
dans la rue.

★

Bien entendu, ceci n'est point le reportage, dans le genre
vécu-réaliste, d'un fait-divers (une première de Léo Ferré)
dans un lieu-divers entre tous (le théâtre du Vieux-Colombier).
On a tenté plus haut de reconstituer la marche réelle
d'une pensée de poète, sa direction et sa tension, à travers
son expression la plus matérielle, à travers sa mise en scène.
Au Vieux-Colombier (comme partout ailleurs, et toujours)
la mise en scène était de Madeleine Ferré. Ce n'était pas
seulement l'ordre possible, ou agréable, d'un récital. D'évidence la mise en scène était au service de la pensée, qui cette
fois comme jamais apparut claire, cohérente, unitaire, tension
et signe ascendant (pour emprunter le langage d'André
Breton). Ce que l'on sentait très fortement à la sortie, distance prise, c'était — comme le sens même, l'obstination
en profondeur d'un certain monde de chansons — c'était l'éternelle complicité avec soi-même de la poésie ; et les devoirs
que cela implique ; dont le premier est sans aucun doute la
complicité de tout poète d'aujourd'hui, connu ou non, — et
idéalement, de tout homme vivant et pensant — avec les
poètes morts.
Parmi lesquels — ceci est personnel, mais pourquoi pas —
la plus effrayante des « figures » qui se soient mises en scène
(soi-même) au Vieux-Colombier — 16 ans auparavant, même

mois — Antonin Artaud. On pouvait, 15 ans plus tard, on devait même se souvenir de l'Artaud écrasé sur la même scène, comme un chat tombé on ne sait d'où mais c'était haut comme l'orage et l'épilepsie, et réclamant, et non pas comme Gœthe, de la lumière. A l'entracte, pour embrasser Artaud on était peut-être cinq (dont Gide et Gorges Braque). Le même Artaud disait avant sa mort : « Je serai le dernier des poètes maudits. Vous, c'est l'autre versant. »

Tout cela est de l'histoire, c'est pourquoi on en parle. L'autre versant — j'en reviens à Léo Ferré — apparut à l'Alhambra, printemps 1961. Ce fut, cette fois, le passage du noir d'encre, d'encre amère et corrosive, au bleu de nuit et à la grande brume bleue où se lève, ni jour ni nuit, l'aube peut-être d'un bonheur possible. Oh simplement possible, ce n'est que le rêve d'un « âge d'or », sa chanson seulement, pour commencer, mais ce mythe-là est plus fécond, tous comptes faits — c'est l'optimisme qui couronne dialectiquement le pessimisme libertaire — que celui de « la neige rue des Blancs-Manteaux » (chanson de Sartre), ou mieux encore de la neige à Bethléem ; bref, le mythe des notables et de leur patrie. Dont les robots-symboles figuraient-là encore, à leur place, contraints de présenter les armes ; et à l'Entité noire on disait toujours « Thank you Satan », mais pour finalement

> *sonner à la porte du diable...*
> *être le treizième à sa table*
> *même si ça doit porter bonheur...*

et même si la prise de la Bastille ne sert à rien, on dit à M. de Robespierre : « Faites-nous des habits tout neufs. »

13

C'était, il faut le dire — frêle cause, grands effets — grâce à la « Jolie môme » qui cette fois fut·la pierre angulaire, et plus précisément « le triangle nostalgique » de la doctrine :

> *Ta prairie ça sent bon*
> *Fais en don aux amis...*
> *T'as qu'une source au milieu*
> *Qu'éclabousse du bon dieu...*

etc. (pour la censure). Rideau, ou plutôt « porte en voile blanc que l'on pousse en chantant ». Cela ne dura que des minutes, peut-être, mais ce fut quelque chose comme la matinée rimbaldienne où un homme et une femme superbes « furent rois dans les tentures carminées ». L'éphémère n'est peut-être roi que par métaphore, mais il l'est. On vit, en ces éphémères dix minutes d'une fin de soirée de printemps à Paris, un homme étrangement frêle, presque à l'extrême de son souffle — lui, le Léo Ferré costaud sous le cuir noir comme un empereur des dos nouveau style — faire le geste de sonner à la porte du diable, et téléphoner à la Grande Ourse pour une cigale dans les cheveux blancs de l'hiver, pour le grand vent où la mer est à deux pas de l'étoile, et en conclusion, et finis tous les discours, pour « je t'aime ». Non, Messieurs, ce n'était point une nuit de Musset. Bien trop perfide la lumière de scène ; comme de cette lumière crue qui judiciairement sert à fixer ce gibier de choix, l'identité d'un homme. Identité trouvée, cette fois : un homme, dans l'absolu de sa liberté, chantant pour les autres. Qui répond ? on est libre.

Ce fut à cet instant, je le répète, que « les tentures carminées se relevèrent sur les maisons ».

Dans la salle, les notables disaient : « Tiens, mais il a réussi. »

Oui, Messieurs, cela. C'est de cela qu'il s'agit ; pas de la réussite.

★

Il y a deux Léo Ferré (entre autres) : l'homme de la ville et l'homme de la nature. La ville, la seule ville possible — à part la demi-brume à Londres — étant Paris. Et pourquoi Paris ? non parce que ce serait une ville d'art célèbre, ou le lieu rituel de la haute élégance féminine — bien qu'elle soit cela aussi par-dessus le marché — mais parce qu'elle est la ville qui a inventé la liberté ; et, de surcroît, la ville où le Moyen Age n'est pas encore absolument mort. Deux qualifications qui ne sont pas contradictoires, malgré l'apparence, il suffit de chercher dans l'écheveau disparate du théâtre parisien le toron noir et rouge qui va de l'Évangile Éternel de Joachim de Flore et d'Héloïse et Abélard à Jean-Jacques et aux Liaisons dangereuses ; et à ce qui reste aujourd'hui encore, dans les coins de la ville comme du chiendent de pavé, de l'esprit communard.

Supposez que le Moyen Âge soit mort un jour, ce serait peut-être en 1871 au Mur des Fédérés sous les balles des Versaillais : revanche historique, à moins d'un siècle de distance, sur la foule parisienne qui les 5 et 6 octobre 89 s'en était allée quérir au Versailles de Louis XIV « le boulanger, la boulangère et le petit mitron ». Une opinion, la révolution ; évidemment « ça mange du pain les rupins ». Ce genre d'opinion étant puni de mort, en général. Mais ce Moyen Age là

15

— le grand Moyen Age laïc et anticlérical de l'Évangile Éternel et de l'idée libertaire — ne meurt pas comme ça. La poésie moderne reprend à son compte le délit d'opinion. Au Mur des Fédérés répond, à une année près, et ce serait presque un écho, le final d'une Saison en Enfer. C'est depuis, c'est ainsi qu'on est absolument moderne, notion qui n'a rien à voir, à mon avis, avec l'art moderne, la musique concrète et tutti quanti. Les esthètes sociologues sont à l'UNESCO, les « bourgeois sont dans l'égout », mais les chiffonniers sont dans la rue. Et pour dire l'éternel Paris d'aujourd'hui il ne faut pas moins qu'une voix de plain-chant comme « dans les bars au Moyen Age ». Dieu est nègre maintenant. « Je suis une bête, un nègre », disait déjà Rimbaud.

On notera que le Paris de Léo Ferré est un Paris de nuit plus que de jour. C'est moins « le soleil mauve des lilas de Nogent » que « l'aube grise et toute gelée ». La nuance étant de cette fin de la nuit où c'est l'heure entre toutes de sentir la ville et la rue, et « son ventre doux ». C'est l'heure des « regards perdus dans le ruisseau où va la rue comme un bateau ». Restif de la Bretonne, collectionneur nocturne de tableaux parisiens, songe qu'il est temps peut-être d'aller se coucher. Jimmy le nègre, sa « bouteille de Jéricho » aux dents comme une « trompette bouchée », s'est endormi dans le caniveau. Rue du Val-de-Grâce, ou rue des Halles, au coin de la Tour Saint-Jacques, un chat est aplati, hagard et tragique, immense — car il est mort — en travers de la chaussée. Ce n'est qu'un chat mais, spectacle étrange, un chiffonnier ne l'en porte pas moins, avec une tendresse infinie, jusqu'à une atroce poubelle. On meurt comme ça dans les villes, et on a ce convoi, les animaux comme les autres. Les chiens du poète

sont morts, et son petit hibou, eux qui étaient l'innocence de
la nature dans l'enfer de la grande ville.

Ainsi frôlent dans Paris « l'ordure et la merveille »,
comme l'écrit André Breton. Et en dépit de tout, de la mort
et de l'ordure, rien n'est plus beau que l'aube sur la mer —
qu'un départ à l'aube sur la mer — sinon le « crépuscule du
matin » à Paris. La fin d'une nuit à Paris, et on rentre, et
l'ambulant nocturne, le veilleur de nuit voient soudain bouger
entre chien et loup — entre chiens et nous dirais-je — l'heure
légère et déchirante qui n'est telle qu'à cette heure de Paris,
dans la mer de brouillard qui baigne les édifices. Heure
baudelairienne, d'un Baudelaire qui n'a jamais cessé de hanter
Paris à nos côtés ; heure d'un Léo Ferré piqueur de fleurs
noires que l'on voit assez bien hanter un Paris chien-et-loup
sous l'affublement cher à Restif de la Bretonne, coiffé d'un
hibou, pèlerine couleur de muraille, et le bâton à pointe de
fer du chiffonnier d'images.

> *Les copains d'la neuille*
> *Les frangins de la nuit*
> *Au matin s'défeuillent*
> *De tous leurs habits*
> *Le p'tit jour canaille*
> *Les prend par le coup*
> *Et puis les empaille*
> *Comme des hiboux*

Ainsi monologue à mi-voix, trébuchant sur une valse triste,
le personnage que dans certains milieux de la rue Mouffetard
on appelle toujours « le roi de thune et d'argot ». Villon

passe en douce, sur ses espadrilles. Les chiffonniers d'images sont frères, l'argot est leur ésotérisme. Quant aux hiboux... La chanson de Léo Ferré est dédiée « à notre petit hibou ».

★

Les grands Revendicateurs ont toujours rêvé de la Nature : on ne revendique, évidemment, et l'on n'accuse qu'au nom d'un certain ordre naturel blessé plus ou moins foncièrement ; et de là à évoquer l'entité physique et concrète qu'est la Nature, la grande Nature, et à s'y appuyer, le pas est logique ; et il est sans doute d'instinct. Ainsi ont fait Jean-Jacques ou Fourier. Mais l'Homme de la Révolte, qui par définition est un homme des villes, et qui proteste et crie au nom d'un ordre moral et social quotidiennement bafoué, s'il ne songe pas d'emblée à la Nature, il ne peut manquer un jour de s'y appuyer, comme on s'appuie à un « ventre doux » qui par ailleurs, il faut bien le dire, n'existe dans la grande ville que par analogie ; le ventre de la rue, comme on dit. Mais « Vise la réclame » et « les Vitrines », et la gueule qu'y fait l'amour. Et un jour, l'Homme de la Révolte trouve la Nature. Il s'en méfie cependant, au départ ; son propos est d'un ordre moral trop strict, trop exclusif ; il est de ce Paris qui a « réinventé la liberté », et peut-être « L'Océan ne vaut pas la Seine ». Et puis la fatalité de la Nature n'est pas moins impitoyable, moins cruelle, que certaines fatalités de la nature humaine ; ici — ordre moral — mort de l'amour, par exemple ; là — ordre physique, ordre naturel — les animaux que l'on aime meurent aussi. C'est une bien « maigre immortalité », et amère, songe Léo Ferré, que celle que j'ai faite dans mes chansons « à notre petit hibou », à « mes chiens morts qui dans les coulisses du Vieux-Colombier, le soir de ma première, viendront me lécher les mains » (1). La Nature, elle s'en fout, « la mer viendra toujours vers le rivage, la source ira toujours grossir le fleuve ». Qu'importe « les fleurs sauvages, si tu t'en vas ? »

Mais on découvre tout de même, vaille que vaille, qu'il y a dans la Nature une « fatalité du bonheur » qui est certes cruelle — voyez la littérature et les romans — mais qui n'en est pas moins le bonheur, dans son corps physique, dans son corps concret le plus fort. L'été s'en fout, mais...

> *De ce chagrin de chlorophylle*
> *Qui se prépare loin des villés*
> *De ce galbe de la vallée*
> *De ce mouvement des marées*
> *De ces planètes bienheureuses*
> *Où jase un jazz de nébuleuses...*

de tout cela l'été s'en fout ; mais nous...

Alors l'Homme de la Révolte s'est taillé sa part de Nature ; il se l'est offerte, exactement. Oh ! ce n'est pas un coin de forêt vierge, ni un atoll du Pacifique : trop romantique, cela ; plus exactement, trop irréel. On a les pieds sur la terre, si l'on est anarchiste ; on a — on doit même les avoir, Messieurs. On a droit aux châteaux, tout de même ? Et « avec les rentes que me rapportent mes chansons », encore ; ça fait long feu

(1) D'une interview à « Combat ».

ces « guinguettes pas marrantes achetées à un taulier de Barbizon » par un poète famélique pour y loger ses rêves de frustration. Pas de caisse d'épargne ; à l'horizon, toujours, mes châteaux en Espagne ; et maintenant mon château dans la mer. Puisqu'on a les pieds sur la terre, on les aura dans la mer, même. D'où je vous tutoie, Messieurs. « Je m'appelle Robinson, sacré nom de nom. »

Au fait, écrivait jadis quelqu'un (un grand poète), je rêve d'un château aux environs de Paris. Mes amis et moi, nous y vivons en toute liberté. Le château existe chaque fois que nous y sommes ; que nous y pensons. Le sens de ce propos — que je présente dans son sens, non dans sa littéralité — étant : le château existe chaque fois que nous en rêvons. Le château de Léo Ferré, lui, n'existe pas en rêve, — bien qu'il soit le corps d'un rêve — ni aux environs de Paris, c'est un château fort comme celui du Welf de Hugo, il est le fait en soi, prépondérant, d'un rivage des Syrtes et d'un pays d'Argol par-dessus lesquels, à vol d'oiseau, il met le nez dans son fait à tout un ordre de choses trop commodément ordonné. D'un certain ordre de liberté — autre ordre, autre liberté — est le chemin qui y mène, ouvert deux fois par jour selon la guise de la marée ; mais ce n'en est pas moins, ce chemin de sable aux ordres de la mer, un chemin, unique peut-être en son genre, de la liberté. Il conduit à des pierres et des murs en partie appareillés par Vauban, mais « merde à Vauban ». Au reste c'est un jardinier à gueule d'évadé de l'île de Ré, poing coupé et visage cuit par le soleil de grand vent, qui débroussaille de l'autre côté de la lourde porte. Merde à Vauban. Ici on est libre. On est de l'autre côté. Je dirais bien « de l'autre côté du miroir », mais quoi, on n'est pas

dans un salon, ce salon fût-il celui d'Alice, et l'autre côté le
Wonderland des contes de fées. Ici ce n'est pas un salon mais
un lieu-dit fortifié — mais oui — dans la nature. C'est la
« motte » — ce terme féodal — où un homme s'est mis en
hérisson — ce terme de guerre — comme le surnommé Welf,
castellan d'Osbor. Dans les douves la mer, cet éternel miroir
de l'homme libre, ô notre ami Baudelaire.

   Libre à vous, c'est le programme. Libre à vous, mademoiselle R.T.F., mais la mer monte. Mademoiselle R.T.F. a
l'oreille fine, c'est son métier, elle ne moisit pas au lieu-dit, elle
repasse rapidement de l'autre côté vers son genre de liberté,
sa passe faite, crainte de mouiller son bataclan. On est chez
nous, amis. Voici la chambre rose et ses miroirs à appliques
où scintille, dans l'eau bleue, l'éclair unique et renouvelé de
l'amour ; parfaite réponse aux crocs de fer dans la muraille,
dernier signe de ceux qui hantaient jadis ce corps de garde
mais hantent aujourd'hui, ceinturon débouclé, le lieu moral
entre tous du pissenlit par la racine et entre les dents. Fleur
au fusil et retour à la terre ; ici c'est un autre corps de garde.
On s'éclaire à la bougie, comme aux petits soupers du roi ;
malheureusement pour les rois, il y a eu des événements
en 93. Ici l'événement sera l'électricité, et encore on le devra
au vent. En attendant ce jour, le champagne est rose à toute
heure du jour, comme chez Maxim's, rue Royale ; le poisson
est frais en toute saison, ce n'est pas comme à Paris, il est
présenté à l'heure tous les matins, en guise de courrier et
de nouvelles de la nuit, sur le plateau du petit déjeuner. Il
y a une piscine naturelle et un court de tennis, mais on se
baigne de préférence de l'autre côté de la piscine et le vent
s'arrange pour arbitrer les balles à son profit. La falaise en

21

face est jalonnée d'écriteaux « interdit » ou « dangereux » ; mais les mulets qui fréquentent la passe entre la falaise et l'île, tels des michés au coin Turbigo-Saint-Denis, ne savent sans doute pas lire, car ils se font prendre, et ce n'est pas dans un filet de tennis. A chacun sa chasse à courre et son Bois de Boulogne. Ici les alcôves ne sont pas de chez Barbès et la plage des sports pour les poumons ne sera jamais imprimée, les plombs ont sauté une fois pour toutes à la mise en page. Ici c'est l'homme. Le chien qu'on prend comme un ami, c'est qu'il ne reste plus personne, que les amis. For happy few. C'est l'homme.

★

Et cet homme chante. Mais, dites-moi, vous parlez d'un poète ou d'un chanteur ; d'une voix, ou d'une poésie ?

La poésie, je ne parle que de cela, figurez-vous. Car après tout la poésie, si elle est lyrique, c'est tout de même parce qu'elle est chant, par définition ; c'est peut-être pour être chantée, un jour ou l'autre. On ne vous refait pas le coup du mythe d'Orphée ; on remarque simplement que dans son principe, le rôle d'Orphée ne consiste pas seulement à ne rencontrer l'ange Heurtebise, ou à traverser le miroir, mais à dompter les fauves, ou les bêtes — lesquelles ne sont pas nécessairement le public populaire. On remarquera également que tant dans la poésie dite moderne — poème en prose post-rimbaldien — que dans la poésie de coupe traditionnelle — Hugo ou Baudelaire ou Corbière, ces exemples à la volée — il y a un appel j'ose dire organique à l'élocution à voix haute, à la « profération », élan qui contredit comme

il peut cette solennelle mise en bière que sont tout de même
plus ou moins l'édition d'un livre et sa place dans une biblio-
thèque.

Cette caractéristique vocale et physique de la poésie est
tellement évidente qu'au mieux elle pousse ceux qui ont la
voix — la voix morale — placée, à dire le poème à haute voix ;
qu'à l'inverse elle suggère aux poètes qui ont faussé ce genre
de voix, de faire une poésie dans le genre « pour être lue et
dite », le dos au feu et le coude sur la cheminée ; ainsi de
Lamartine, ce « piano à vendre ou à louer » disait Théophile
Gautier.

A quoi on rétorquera que, précisément, la cadence et le
souffle intérieurs du poème sont tout, et peu importe le reste,
la possibilité ou non de profération vocale et physique ; qu'il
ne faut pas confondre, mélanger les genres ; que « la chanson
est un métier, mais la poésie une vocation ».

Un métier, un petit métier donc. Mais il en est de la
distinction entre vocation et métier, poème et chanson, comme
de la distinction célèbre, née de Boileau, entre les grands
genres et les petits genres : nuance classique, voire académique, voire... Passons. Un même principe, un même désir
anime tout poème et toute poésie dont l'un des buts est la
profération : c'est de donner un corps physique à la voix
intérieure. Ce qui est dire aussi : un corps public. Et chacun
ses moyens techniques ; l'aède homérique, le jeu des longues
et des brèves ; le chanteur-diseur de chanson de gestes, le
nombre des pieds et l'assonance. Sautons les siècles, mélan-
geons les adversaires : voici la déclamation des interprètes
raciniens, dont on sait par les témoignages contemporains
qu'elle était « vocalique » au point de paraître parfois

« chantée », rien à voir certainement avec ce qui se passe de nos jours au Théâtre Français ; la diction chantée des opéras de Rameau, et le chant déclamé des tragédies lyriques de Glück, celui-ci venu en ligne indirecte, j'en fait l'hypothèse, de la déclamation racinienne ; le récitatif du « dramma giocoso » et du « sing spiele » mozartien, ce jeu prodigieux, foncièrement anti-déclamatoire, entre la diction et le chant ; et passons par-dessus le tonnerre wagnérien, venons-en au plus moderne encore — même tenu compte de Schœnberg — des inventeurs, — je veux dire des « retrouveurs » de la voix humaine, à Debussy.

Ce n'est pas seulement parce que l'auteur de « Pelléas » est un de ceux dont se réclame le musicien Léo Ferré ; c'est parce que dans l'œuvre de Claude Debussy, on observe encore plus particulièrement qu'ailleurs ce « dédouanement du musicien par le poète » dont parle Ferré quand il vous rappelle que le Faune de Debussy est en vérité un « postlude » à celui de Mallarmé, et plus encore, que son « Pelléas » est né de celui de Maeterlinck. Et il en va de plus que de la rencontre d'un bon librettiste et d'un musicien — comme celle de da Ponte et de Mozart — Maeterlinck n'est pas seulement auteur de pièces symboliques mais de ces « Serres chaudes » si debussystes déjà.

Plus encore : il est classique de rappeler l'influence des gammes archaïques, et en particulier des gammes extrêmes-orientales — par exemple la musique balinaise de l'exposition universelle de 1889 — sur l'écriture harmonique de Debussy ; on n'en doit pas pour autant négliger le fait que l'ambiance, et je dirai plus, l'écriture harmonique de Baudelaire et « la musique avant toute chose » et le rythme impair de Verlaine ont délivré dans la musique de Debussy ce qu'il y avait à y délivrer, qui est bien plus que des thèmes à développer et à chanter. Et des années après revient comme un écho, ou un choc en retour, le même phénomène de dédouanement, mais inverse : Baudelaire mis en musique et chanté par Léo Ferré. Dédouanement qui doit être pris au pied de la lettre, puisque l' « interprétation », si on peut dire, de Léo Ferré, a permis qu'on entende, par le truchement du disque, une voix physique et morale qui est comme celle même de Baudelaire. Le disque a été généralement ignoré des spécialistes — pas du public. Belle revanche pour le poète des « Fleurs du Mal » en 1957, l'année de son centenaire. Mais les spécialistes de l'édition musicale imprimée, boudent encore, ou ignorent. Rappelons ce mot de Debussy sur son éditeur, après le succès de Pelléas : « Durand est terrible, il me réclame toujours de la copie... ». La maison Durand existe toujours place de la Madeleine.

Pour en revenir à Debussy, et à sa place de grand révolutionnaire dans cette histoire de la voix humaine parlée et chantée que j'ai esquissée tout à l'heure : si la « diction » continue inaugurée dans Pelléas reste toujours aussi fraîche et aussi extraordinaire, c'est qu'elle se maintient infailliblement, par un instinct génial, à cette frontière en général bien talée, et signalée de haut-parleur, où la voix intérieure et la voix extérieure jouent toujours comme en écho de l'une à l'autre. Phénomène d'acoustique humaine et poétique que l'on comprendra tout de suite en citant le mot de Debussy à son ami René Peter, qui n'était pas chanteur de profession, au moment des premières études musicales de « Pelléas » à l'Opéra-Comique, et de la recherche des interprètes : « J'ai trouvé mon

Pelléas ». — Ah oui, interroge René Peter. — Eh bien, dit Debussy, c'est toi. « Mais je n'ai pas de voix », proteste René Peter. « Précisément » conclut Debussy. En fait, ce fut l'admirable Jean Périer qui créa « Pelléas ». C'était un chanteur, certes, mais qui savait chanter en retenant sa voix. Ce n'est pas qu'il faille ne pas avoir de voix pour chanter, par exemple, des chansons : au contraire, et qui peut le plus peut le moins. Le problème d'une poétique véritable de la voix n'étant pas d'en avoir trop ou pas assez, énormément ou pas du tout, mais de l'appuyer où il faut. Comme disait le célèbre ténor Jean de Rezzé à une dame qui lui demandait : « Mais cette note, où l'appuyez-vous, mon cher Maître ? » — « Au cœur, Madame ». S'il faut apparemment « pas de voix » pour chanter « Voici ce qu'il écrit à son frère Pelléas... » il en faut tout de même « un peu » et même beaucoup — de ce qu'il faut pour chanter Verdi, Gustave Charpentier et Menotti — pour monter jusqu'aux cimes physiques de la « Scène des cheveux » et de la mort de Pelléas. Et pour chanter « Harmonie du soir » (Baudelaire-Ferré) ou les « 400 coups » (Ferré).

D'appuyer la voix où il faut, physiquement et mentalement, ne suffit d'ailleurs pas, il est évident que « l'appui au cœur » n'est qu'un premier aspect de la question, un bel aspect, mais encore... Pas de littérature, il n'est pas de poétique sans une technique qui la soutienne, on parle ici d'une certaine technique sonore de la poésie. Parlant des poèmes d'Aragon dont il a fait des chansons, Ferré écrit (préface à son enregistrement) : « J'ai lu avec mes mains enchaînées au clavier et à ma voix. Entendons-nous bien, cela n'est pas une formule, ni une image, mais l'expression d'une technique... On a pris

26

l'habitude d'écrire dans les manuels de littérature, que le vers se suffit à lui-même et que les syllabes chantent, que la rime ou l'assonance accusent les contours de la mélodie verbale. En dehors des recherches purement phonétiques, le poète écrit des mots ; leur musique, s'il en est, ne va pas sans un certain rythme interne... » Et il conclue sur la « double vue... qui perçoit des images musicales derrière la porte des paroles ». Et l' « image musicale native », elle ne l'est pas moins, donnée, fatale, pressante que l'image poétique proprement dite ; en elle ne se conjuguent pas moins que dans l'autre — et je vais employer des termes qui ne sont pas précisément du vocabulaire de Léo Ferré — l'évidence plastique absolue — l'abstrait — et l'absolue pureté de source — l'automatisme.

On me dira qu'il ne s'agit que de chansons, petit genre... Mais d'abord, comme l'écrit J.-V. Hocquard de la période « parisienne » de Mozart « ...la voie de la petitesse, je veux dire l'ascèse inhérente à la perfection des petits genres » ; ainsi le dernier mot, en tout cas l'un des plus bouleversants de la perfection mozartienne, c'est « le tout petit cantique suprême K 623 ». Voilà pour le « petit genre », revenons à la technique d'une certaine perfection — à la technique d'une poétique des mots, et de la voix qui y est déjà, rêvant de son corps physique entier.

Le fil de ce propos n'est pas toujours aisé à voir, évidemment il s'en va de bien plus que de justifier un « certain genre » d'aujourd'hui — la chanson — poème de Léo Ferré — par l'exemple des innombrables poèmes-chansons de la poésie française, du Moyen Age à la Renaissance, œuvres qui de fait étaient presque toujours chantées — le Moyen Age — et bien souvent chantées — la Renaissance.

Car dans ce cas, on pourrait rétorquer que la chanson de Léo Ferré n'est, après tout, qu'un avatar après tant d'autres d'un genre littéraire fort ancien ; quand encore il est un genre de la littérature, et non pas du music-hall. Les poèmes à chanter de Léo Ferré seraient-ils vraiment une forme moderne de la poésie ? Ne seraient-ils pas tout simplement des « chansons », fûssent-elles du meilleur genre d'aujourd'hui ?

Mais la peinture de chevalet est un genre fort ancien, n'empêche que le cubisme était moderne. Le cinéma a des conditions économiques, la plupart fort effrayantes, n'empêche qu'on lui doit par exemple « Le Chien Andalou » et le dernier film de Bunuel (interdit en Espagne) ; tout comme il y a un disque des « chansons interdites » de Léo Ferré, et des chansons interdites même à l'édition sur disque, telle que « Mon Général ». Or dans le cas de Bunuel comme dans celui de Léo Ferré l'acte poétique pur s'est trouvé un beau jour — et ce jour est beau — comme une charge explosive déposée sur la voie publique. La poésie est aujourd'hui dans la rue — dans la rue, et pas dans les vitrines de mode — en dépit, ou à cause, je n'en sais rien, de ces faits sociaux, économiques, etc., que sont le cinéma et la chanson. Je ne vois pas que la poésie, en tant que valeur de révolte, y ait perdu. Si « tout lyrisme est développement d'une protestation » (Breton) alors la parole est à l'accusation, je veux dire à la poésie, et de grâce, ne m'objectez pas qu'elle est ceci ou cela exclusivement, à savoir le livre et l'édition imprimés ou le poème plus ou moins en prose, et vous me dites qu'elle est liée à cela — non, la poésie n'est pas liée —, elle n'est exclusive d'aucune forme, pas même du poème et du livre, le poète est chez lui dans toute forme où sonne à plein sa voix dénonciatrice et annonciatrice. L'âge d'or n'est pas dans la lune ; il n'est peut-être pas pour demain, mais il en court dans la trame sordide du quotidien et de l'historique des lueurs dont il importe de ne pas perdre une seule, et non pour les garder au secret, pour soi, tout seul comme un avare son trésor, mais pour en blesser la vue de tout un chacun, en attendant mieux. Ainsi fait Bunuel dans ses films, Léo Ferré dans ses chansons, ainsi font quelques autres, ainsi fait l'œuvre toujours semi-interdite de Benjamin Péret. Le reste, les scrupules, est à classer dans la lune avec « la vieillerie poétique » et la « tour d'ivoire ».

Tous comptes faits, dans l'histoire de la poésie moderne il n'a été qu'une tour d'ivoire de plein droit, celle de Mallarmé : c'était bien moins une tour d'ivoire, le refuge d'où l'on tourne l'épaule à la vie, que le scandale de l'idée pure et de l'évidence poétique absolue à la face éternelle de l'esprit philistin ; disons plus, de l'esprit bourgeois. Mais aujourd'hui, à la face, la même sous les accoutrements historiques et de saison, de l'esprit bourgeois et philistin, il apparaît, dans ce monde « où les muselières ne sont pas faites pour les chiens », que la tour d'ivoire n'est plus de saison, et que la mâchoire d'âne convient mieux. On a tous les toits de Paris, où poussent de plus en plus les antennes de télévision, nouveaux arbres à pain, le pain étant la sottise, profitons-en pour dire autre chose et même le contraire ; dans le genre « Thank you Satan, pour les idées que tu maquilles dans la tête des citoyens... pour les ballots que tu fais paître dans le pré

29

comme des moutons... » Et « pour le moyen de tourner la loi » évidemment, et aussi « pour ton honneur à ne paraître jamais à la télévision ». Mais nous qui y passons, cela nous crée des devoirs, n'est-ce pas ? C'est ce que la poésie appelle profiter de situations. Nous pourrions, car nous sommes musicien, nous livrer exclusivement à la « musique pure », laquelle est « subjective » ; nous pourrions également, car nous sommes poète, nous livrer à la musique pure des mots, mais notre musique à nous, par contre, ou en outre, est « épouse d'un texte », donc elle est « objective ».

Cette musique objective épouse d'un texte, c'est la chanson. Il est des cas où la poésie, comme écrit René Char, peut se choisir comme éditeur « un simple feu d'herbes » ; le cas échéant qui si l'on veut — si on le veut très fortement — est une suite à l'autre, la poésie peut décider d'être chanson, et d'aller au music-hall, et non pas comme putain. Ce n'est pas le cadre ni le lieu qui font la putain, c'est la putain.

Il est certes loisible de préférer le secret des dieux à l'écho renvoyé par une foule ; et que je sache, tout est fatal, et même exécutoire des impératifs de la poésie, la solitude seul à seul ou la solitude d'un face à tous. La chambre de nuit, place de la Bourse, où la seule compagnie de Lautréamont qui écrit Maldoror, c'est la feuille blanche piquée au mur, qui palpite à la flamme de la bougie ; bien entendu la solitaire bougie allumée de Lichtenberg ; l'hiver de Rilke dans la tour de Muzot ; la chambre aux fenêtres murées sur rue, de Reverdy ; mais après la mise au secret la mise au jour : les « feuillets d'Hypnos » de Char qui sont comme les « carnets » de ses « châtiments » ; le dîner « de Têtes » de Prévert ; « Mort aux vaches et au champ d'honneur » de

Benjamin Péret, j'en passe... On me dira que dans ces derniers cas il s'agit toujours de livres ; sans doute, mais d'autant plus de regrets que les proses, si l'on peut dire, de Prévert et de Péret ne retentissent pas plus souvent — si elles l'ont jamais fait — dans les endroits fréquentés par le public à des fins de distraction. Il souvient toujours, à ceux qui l'ont vu, de Péret entrant sur la scène de la salle Gaveau, lors d'un « gala » surréaliste célèbre, au pas de l'oie et saluant à la prussienne ; il souvient ces temps-ci, à des milliers de spectateurs, de Léo Ferré annonçant, avant de chanter « Miss Guéguerre », qu'il allait faire des gestes périmés, comme de présenter armes, etc. ;. et de les faire. C'est ainsi qu'on donne au peuple, à la faveur de la formule célèbre « du pain et des jeux », ce que les délicats lui refusent toujours, la poésie ; laquelle ne consiste pas seulement en la culture en serre des hortensias bleus. Il y a des fleurs, mais il y a aussi la conscience, laquelle n'est pas moins poétique, dans ses exercices, que l'art du jardinier, en ceci déjà qu'elle suggère de se pencher sur les conditions de la pousse des fleurs, et que les bouquets sont beaux, mais que la vie doit être changée avant qu'on en vienne à l'heure des bouquets. La prise de conscience, comme on dit noblement, mais on oublie avec prudence, la plupart du temps, que la prise de conscience poétique, dispose moins à une noble ataraxie qu'à une certaine prise d'armes ; et mon dieu, il y en a des armes, du simple « flingue » au vulgaire micro. C'est là qu'on s'engage, sans uniforme ou anti-uniforme. La poésie dite engagée, genre littéraire, il faut bien le dire, rythme l'action ou la suit. Mais la poésie, quand elle se saisit de sa conscience, c'est le souffle rauque et dur qui est en avant de l'action, qui la présuppose. Le ton, il faut le dire, n'est pas académique, il est vrai qu'on s'adresse à la « gueuse » :

> Y'a l'père Danton dans la région
> La gueuse
> Y s'est r'tourné dans son panier
> A croire qu'un' tête dans un tas d'son
> Ça fait penser dans la nation
> La gueuse
> Pour des soldats t'as fait tout ça
> Moi qui croyais qu't'étais en forme
> Et v'là qu'tu fais les uniformes
> Comme une pâle travailleuse
> La gueuse

Évidemment on est très loin ici des discussions sur la réthorique et l'anti-réthorique. C'est comme si, tout à coup, le célèbre couteau de Lichtenberg à usage d'humour noir — vous vous rappelez, « un couteau sans manche et sans lame » — fatigué de son incertitude par trop dialectique d'exister, décidait enfin d'être un couteau, un vrai, bref un « surin »; et pas n'importe quel surin... Si l'humour noir a un sens, ce que l'on croit, c'est plutôt dans ce sens-là que dans celui des « fleurs en papier ». Ainsi on dira ce qu'il y a à dire ; par tous les moyens, fût-ce par des chansons — des chansons qui disent ça.

Et pour autant — des chansons, et qui disent cela, je le répète — on n'en est pas moins une forme moderne de la structure sonore même de la poésie.

C'est le moment ici de remarquer que l'on assiste ces

temps-ci à un renversement complet des positions de la poésie, et par rapport à soi-même, et par rapport au monde — précisons, par rapport au monde social où elle sonne. Je dis bien « sonne », car la poésie, dans sa structure la plus profonde est structure sonore bien plus que visuelle. Breton avait déjà noté que la poésie, en tant qu'automatisme pur, naissait bien plus de mots entendus que d'images vues. Ce qui, plus de 30 ans ensuite, est curieusement recoupé par cette notion de « l'image musicale native » chère à Léo Ferré, et par ses méthodes de composition, si l'on ose dire, où c'est le vertige du rythme qui fait fleurir les images, lesquelles ne sont pas concertées mais données ou trouvées d'emblée. Breton, il est vrai, n'hésitait pas à condamner l'activité musicale — « de toutes la plus profondément confusionnelle » écrivait-il. Contradiction étrange, mais explicable : un poète dont le pouvoir d'audition interne joue à plein n'a sans doute nul besoin, au contraire, de l'audition externe, c'est-à-dire de la musique. C'était ainsi sans doute qu'Hugo, lui aussi, n'aimait pas la musique, puisqu'il ne l'entendait pas... En outre, Breton reproche à la musique, en raison du caractère abstrait de sa structure, d'être par définition étrangère à l'activité de révolte, laquelle ne peut s'exercer qu'en désignant clairement et nommément dans le monde tout ce qu'elle y trouve d'indésirable.

Or, c'est ce nerf moral et accusateur qui est l'une des caractéristiques les plus frappantes de la poésie — musique de Léo Ferré. Il est intéressant, à ce propos, de remarquer que l'auteur-compositeur qui se destinait à la musique pure, après des études techniques très poussées auprès de Léonide Sabaniev, élève de Scriabine — que le musicien né, accompli en son art, ait choisi à la faveur de nécessités de la vie et peut-être par un hasard, mais qui en dit long, de faire des chansons. Des chansons pour gagner sa vie, peut-être, dans la décision de départ, mais progressivement, et au-delà de la chanson-métier et de la musique-vocation, une découverte du poème-musique, qui est peut-être bien une redécouverte du poème au sein même de la musique — dans les eaux mères de la musique.

On peut déjà naître poète de la musique, comme Schumann ou Debussy, ou Bartok — poète, c'est-à-dire attentif à n'admettre aucune structure qui n'ait un sens, qui ne s'ouvre sur un monde comme sur sa fleur nécessaire, si elle en reste la racine suffisante — on peut déjà être ce poète, et absurdement ne pas s'en contenter, et à la faveur du nécessaire hasard de la vie, faire accoucher la musique, la musique primordiale, de ce sens dont elle est grosse, qui bouge en elle, et enfin le lui faire dire en clair. Et bien entendu, ce langage en clair est un clair-obscur parfois aveuglant — c'est ce que les auditeurs philistins de Léo Ferré nomment son « galimatias », il est évident que le public bourgeois n'aime pas se sentir cinglé avant d'avoir bien compris. Mais enfin, on est en poésie, et la guerre propre du poète consiste précisément à édifier cette « coupole dans la brume » dont parlait un jour René Char, quitte à écarter la brume chaque fois que ça lui chante, pour désigner l'inadmissible et appeler un chat un chat. En ce sens l'apparente marqueterie, ou plutôt le labyrinthe d'images où se promène à son plaisir le poète Léo Ferré est très situé, et on sait très bien sur quoi il débouche, ou menace sans cesse de déboucher. L'on n'accuse pas à partir du vide, on n'accuse qu'à partir d'un monde détruit — l'âge d'or — dont les images parlent en nous comme une mémoire d'avant tous les temps. Et on ne pardonne pas à l'homme d'aujourd'hui d'être un homme de si peu de mémoire véritable, cet homme moderne si lâche et si veule à l'égard de ces traces à tout prendre indestructibles de l'harmonie physique et morale si parfaitement définie et située dans la notion baudelairienne de « vie antérieure ». Ces traces étincellent partout, Messieurs, dans votre enfance ou dans votre amour — si vous en avez un ; c'est en vertu de vous, si on peut dire, qu'on vous accuse ; que Léo Ferré vous accuse ; pas en vertu de la vie future, ni du paradis à la fin des temps : en vertu du présent. Ciel et terre noirs comme de l'encre, et la réalité réaliste est, à s'y méprendre, « comme » ce purin où Sade, d'un geste effrayant et sublime, effeuillait des pétales de roses, mais qu'importe, tout doit être assumé, l'invitation au voyage palpite toujours. On est au cœur du présent. On est moderne, « littéralement et dans tous les sens ».

On est donc moderne aussi — et j'en reviens à la chanson-poème de Léo Ferré — on est moderne comme l'est une forme nouvelle de la structure sonore même de la poésie. Car on est au moment très exactement inverse de celui que Mallarmé définissait en s'écriant, vers 1889 je crois : « on a touché au vers ». C'était dit en commentaire à cette proclamation du poète symboliste Viélé-Griffin : « le vers est libre ». Et Mallarmé ajoutait : « tout finit par les commencements ».

Évidemment. Au commencement est la liberté, mais quoi, la liberté ? Ou la liberté du vers d'être libre ; ce qui, à y voir de plus près est avant tout une liberté de contradiction, de contradiction à une certaine forme de prosodique, le vers, le vers classique et traditionnel, forme préjugée désormais sclérosée et artificielle. Ou la liberté de la poésie d'être libre, c'est-à-dire d'être lyrique et de dire ce qu'elle a à dire, à travers, par-dessus ou par le moyen de n'importe quelle forme prosodique. Je dis bien « n'importe quelle forme prosodique », et c'est le moment et la situation, entre autres, qui disent ce contre quoi il faut s'insurger, et quelles sont, en un temps historiquement donné, les formes mortes et celles qui ne le sont pas, ou qui ne le sont plus.

Pour en revenir à la situation dont faisait état Mallarmé en 1889, on doit noter tout de suite :

1°) Ce que l'on appelle « le vers » — j'entends le vers hugolien, baudelairien, mallarméen — s'est toujours gardé d'instinct de la sclérose, non pas en jouant au vers libre, mais en étant libre. Cela va du rejet célèbre d'Hernani

l'escalier
Dérobé

(curieuse image, n'est-ce pas ; et Léo Ferré me fait remarquer en outre que ce genre d'escalier dérobé est déjà dans Villon). Cela va donc du « rejet » par exemple, aux libertés avec l'hémistiche et à l'emploi des rythmes impairs et des « tons forts ou faibles » répartis musicalement, comme il est de pratique courante chez Verlaine. Ainsi les deux poèmes parmi les plus audacieux techniquement de Verlaine, l'un, « Crimen Amoris » (vers de 11 syllabes) l'autre, « Art poétique » (vers de 9 syllabes) ont été écrits l'un en 1873, l'autre en 1874. C'étaient déjà des vers qui étaient « libres », sans pourtant être « du vers libre » à la mode symboliste.

2°) On avait ainsi, depuis beau temps déjà, « touché au vers ». Mallarmé entendait-il donc avertir que désormais la poésie serait de moins en moins poème en vers et de plus en plus poème en prose ? On en fait l'hypothèse, compte tenu du fait que le poème en prose d'Aloïsius Bertrand — Gaspard de la Nuit — date du premier romantisme ; et surtout que le cas Rimbaud prouve une liberté totale de la poésie à l'égard de toutes les formes, prosodiques ou stylistiques. Mais le poème en prose (voir les poèmes en prose de Mallarmé lui-même et de Baudelaire) n'est encore à tout prendre au XIXᵉ siècle qu'une forme qui ne contredit nullement, au contraire, le poème en vers ; tandis que la prose éclatée de Rimbaud a fini par faire éclater, et sans espoir de retour nous dit-on, toute notion, toute pratique, enfin toute structure un tant soit peu traditionnelles de la poésie. Et on veut bien — il n'y a qu'à constater d'ailleurs — mais on doit constater également qu'il est étrange, et d'un étrange pessimisme, d'astreindre la poésie à n'être plus que cette activité d'avant-garde qui sous couleur d'être « absolument moderne » se condamne à faire feu et non pas de tout bois, mais exclusivement des débris éclatés du monde et des structures rimbaldiennes.

J'entends bien que non pas à partir de Rimbaud mais à dater, cette fois, il y a aussi la poésie et le poème en prose de Reverdy, et leur appareillage de pierre ; et la voix de Char, et son discours pressé comme un Rhône en crue ; et aussi le grand vers blanc de St-John-Perse... Ceux-là n'étaient pas, ne sont pas, les épigones de Rimbaud. Mais la poésie « moderne » d'aujourd'hui, les poèmes en prose désossée ; non tout de même. Ou le poème-conté qui navigue sur les eaux du bizarre en prétendant à l'arbitraire poétique : non, toujours. Après Péret qui d'emblée a trouvé et n'a jamais perdu la vérité et la voix dans ce registre, il n'y a plus qu'un genre poético-littéraire comme les autres, et tirons l'échelle. Donc, quelque Mallarmé pourrait écrire aujourd'hui dans un « crayonné au théâtre » après un récital Léo Ferré : « on a touché à la prose ». A la prose dont on persiste à faire des poèmes, s'entend.

Mais qui écrit en « vers » aujourd'hui ? A part les pompiers des Jeux Floraux de province, presque personne, il faut bien le dire. Il y a Yves Bonnefoy, et l'Aragon de quelques recueils célèbres — mais dans les « Poètes », dernier état de la poésie d'Aragon, il y a bien plus de poèmes en prose rythmée que de poèmes en vers — il y a quelques poètes du genre tout à fait erratique, voire sauvage — ainsi la Marie-Josèphe de « la Dent de devant » (Debresse éditeur) — mais il faut l'avouer, pas grand'chose, sauf Léo Ferré. Partant de tous ces faits, Léo Ferré a écrit la préface polémique de « Poètes vos papiers », texte où il est assez clair qu'il ne s'en prend pas à la poésie moderne en tant que telle, mais à cette forme dégénérée de la poésie, à cet « informel » — je traduis sa pensée — qui sous couleur de venir après la révolution rimbaldienne et l'automatisme surréaliste en fait sa caution alors qu'il n'en est que la très pauvre dégénérescence. C'est pourquoi, énonce-t-il, la poésie actuelle « ne marche pas, elle rampe ». Étant donné que « Poètes vos papiers » est un choix de poèmes en vers — que ce soient des poèmes ou des chansons proprement dites — on se doute que l'auteur reproche à la poésie actuelle de se priver, généralement, de chanter, c'est-à-dire d'être véritablement et physiquement lyrique, en vertu des complexes très variés qu'elle nourrit toujours à l'égard de ce qu'on appelle le vers. Et ce n'est pas que Léo Ferré ne soit pas poète encore et toujours, avec une rare obstination, à l'intérieur des textes en prose, — que ce soient de courts textes critiques ou la vaste chronique auto-biographique en prose encore inédite intitulée « Benoit Misère » — non, ce qu'il entend dire c'est que si sa poésie et son tissu dialectique totalement irrationnel d'image est présent partout, même dans la réflexion sur la poésie ou sur les événements de la vie, — le poème, lui, s'il veut vraiment être lyrique, et que son lyrisme soit entendu, comment peut-il se·passer du vers — d'un certain vers.

Je dis bien un « certain vers », car si le vers de Léo Ferré n'est pas un « vers libre », il est cependant un vers irrégulier. Il n'a retenu du vers que les éléments fondamentaux d'un certain rythme *utile*. Utile à ce que Ferré appelle justement « la chance auditive ». Lui, qui à un moment donné, par goût du gigantesque, avait songé à mettre en musique, pour qu'il puisse être prononcé au maximum, le texte des « Chants de Maldoror » — mais pour l'instant il y a renoncé — il s'est aperçu qu'il y avait dans le rythme du vers quelque chose d'irremplaçable, qui porte l'image et la fait entendre comme nulle autre technique poétique ne la fait entendre. Dans le cas, évident, — ce n'est sans doute pas le cas ni la vocation de toute poésie — où le poète estime nécessaire, voire urgent, d'opérer le passage de l'audition interne à l'audition externe, bref d'opérer l'audition poétique totale. Laquelle, si l'on y songe, est peut-être l'une des conditions mêmes de ce passage de l'un à tous que souhaitait Lautréamont.

Mais parlons technique ; parlons du vers de Léo Ferré. Ni vers classique, ni vers libre, il est évident que Mallarmé ne pourrait que répéter à son sujet : décidément « on a touché au vers ». C'est que l'on n'est plus prisonnier d'une forme, comme on l'était au temps de Malherbe et Charles d'Orléans ; on s'en sert, c'est tout. La rime n'est plus « ce bijou d'un sou » à la Banville, elle n'est jamais cette triste rime riche à la mode parnassienne, elle joue seulement son rôle vocal d'écho, elle est tout juste ce qu'elle a à être pour cela — voyez « la Chanson triste » ou « l'Été s'en fout » — on sent que sa justification organique très simple est l'assonance :

> la zizique
> ça t'agrippe
> et te pique
> toutes tes nippes

Le balancement des rimes masculines est totalement irrégulier, non systématique ; enfin il y a l'élision qui est d'usage non pas seulement parce que c'est d'usage et de commodité dans « la chanson moderne », mais parce que ce qui compte ce n'est pas le respect de la quantité prosodique pour le respect, mais cette loi de l'écho qui est la loi minimum de toute orchestration verbale — et l'une des palpitations majeures de la musique dans le mot.

Voici donc admis — ou plutôt, retrouvé — l'esprit d'une verve poétique à la fois archaïque et sans âge, et même moderne, allant des « fatrasies » de la fin du Moyen Age, et des « irréguliers » anti-malherbiens de l'époque Louis XIII

(Saint-Amant, Tristan L'Hermite) à Tristan Corbière, à Apollinaire, au Desnos de « The Night of Loveless Nights », en passant par les comptines de tous les temps ; et d'un coup de chapeau à Jehan Rictus plus qu'à Aristide Bruant, peut-être. De toute façon c'est plus Rutebeuf et Villon que Charles d'Orléans, plus « le Poète Contumace » et « Gens de Mer » de Corbière, que « les Pauvres gens » et « Oceano nox » du père Hugo, plus « les Mains de Jeanne-Marie » et « le Bateau ivre » de Rimbaud que « le Fard des Argonautes » de Desnos.

Bien entendu je ne parle pas d'influences mais d'apparentements, de cousinages moraux et mentaux. Part faite, dans la poésie de Léo Ferré, à la technique presque virtuose, parfois, qui soutient, accompagne la floraison baroque des images, leur coulée automatique ; part faite, aussi, à ce jeu du populaire et du savant qui s'exprime, entre autres, par la cocasserie phonétique la plus « nature », il y a dans la voix noire et âpre, brusquement éclairée de syncopes étrangement tendres, qui est la voix même de cette poésie, un écho de cette voix du grand Moyen Age noir qui disait, au nez des Puissants et en haine d'eux, et en amour des Petits, les « Dicts du monde » et les « Moralités ». Son propos, du poète du « Temps des roses rouges » et de « Merci mon Dieu », c'est peut-être un autre Roman de la Rose, mais c'est autant Jean de Meung que Guillaume de Lorris. Dieu est mort, et on songe à l'inoubliable chant des damnés d'Arnoul Gréban :

> *La dure mort éternelle*
> *c'est la chanson des damnés*

41

Mais l'on sait, depuis la Commune, qui sont les damnés, et qu'ils sont de la terre... Ce n'est pas dans l'enfer des hommes d'église que l'on chante l'Internationale et le « Chant des Canuts ». L'on chante maintenant — du moins l'on *peut* chanter — « les 400 Coups » et « Y'en a marre » :

> *Un jour nous ferons notre pain*
> *dans vos pétrins avec nos armes...*

★

Et puis, il y a la musique. La musique, pour Léo Ferré, ce n'est pas seulement la scansion du propos et son enrichissement, la robe d'apparat ou de misère qui habille le fait ou le dénude, le tapis harmonique où le poème s'avance à son pas, son pas fixé par le musicien, c'est aussi, c'est d'abord un besoin sensuel et spirituel, la résolution de toutes sortes de problèmes, d'obscurités, dans la plénitude harmonique. L'on a plaisir, joie ou peine, et l'on fait des mélodies que l'on ne chante que pour se plaire à nouveau, ou se plaindre — se « complaindre ». Il y a un terme du vocabulaire technique de l'harmonie qui dit admirablement ceci : c'est le terme d' « acciatura ». Écrire une « acciatura » c'est proposer, pour un même accord, la dissonance et sa résolution. Le discours poétique de Léo Ferré est parsemé d' « acciatura », entendons par là que le tissu même de ce noir âpre et sourd dont il est fait semble parfois se détendre et s'éclaire alors brusquement de tous ces souvenirs, ou ces regrets de la lumière, qui sont ensevelis en lui, mais non abolis. C'est comme, sous un ciel d'orage où souffle la bise, la brusque décharge électrique qui donne l'averse de printemps, la trouée de ciel bleu, et l'odeur des fleurs. C'est en somme

> *comme change en un clin d'œil*
> *un ciel qui s'croit en deuil*
> *quand le soleil s'en mêle*

ou

> *quand tout s'ra noir*
> *et qu'on fum'ra des fleurs fanées*
> *on s'en r'passera les mêmes goulées*
> *les p'tits oiseaux viendront becqu'ter*
> *aux mots d'amour qu'on a causé*

Atmosphère morale et harmonique merveilleusement accomplie dans « Ma vieille branche », poème dont le mouvement tient tout entier dans un balancement très doux entre les dissonances — les coups de brouillard, comme il y est dit — et leurs résolutions ; et finalement, retour à l'accord dissonant fondamental, la mort ; et là, nulle résolution harmonique possible, ma vieille branche...

D'abord le sujet, si l'on peut dire : ma vieille branche, n'est-ce que toi et un vieux sapin qui te fait crédit, ou quelqu'un, je veux dire un vieux compagnon à qui je m'adresse en langage des fleurs ? Question. De toute manière, tu es une bien étrange personnification ; disons, une bien étrange personne :

> *t'as des prénoms comme des gerçures*
> *d'azur tout gris dans tes chiffons*

> *et l'vent du nord et ses coutures*
> *où meurent tranquilles les papillons*

Quoi qu'il en soit, cette écriture harmonique, cette écriture verbale toute en balancement entre les accords dissonants — les images — et leurs résolutions ; cette façon de jouer avec les sujets, leurs tonalités, à moduler en passant comme négligemment, pour finalement conclure dans le ton de départ :

> *t'as des cheveux comme des feuilles mortes*

mais accord non résolu :

> *l'hiver au bout d'ta vie*
> *ma vieille branche*
> *d'automne...*

cela donnerait, transposé musicalement, quelque chose comme un prélude de Debussy « Cloche à travers les feuilles » ou « La cathédrale engloutie ». Et précisément, pour Léo Ferré musicien, Debussy...

Il faut tout de même parler de Léo Ferré musicien, et de la musique qu'il écrit — sur du papier à portées — au terme de cette analyse qui a du moins prouvé ceci, peut-être, c'est que la musique présente en sa poésie, sa musique verbale, n'est pas seulement présence métaphorique mais présence réelle, organique. Il y tient d'ailleurs, à sa qualité de musicien. (Le Bottin le signale comme compositeur de musique) et récemment il est allé jusqu'à déclarer que c'est la musique qui fait la chanson. Boutade sans doute, mais significative.

Ses goûts d'abord, ou ses cousinages. En premier lieu Beethoven, non pour des raisons esthétiques, mais pour le « total », à prendre ou à laisser, que représente Beethoven. « La première fois que j'ai entendu Beethoven, dit-il, j'ai perdu la tête. » Et puis il y a cet hommage, Thank you Satan

> *pour la sépulture anonyme*
> *que tu fis à Monsieur Mozart*
> *sans croix ni rien sauf pour la frime*
> *un chien croquemort du hasard*

hommage sans doute inspiré par la gravure anonyme célèbre « le convoi du pauvre » qui au mur du logis de Beethoven évoquait pour celui-ci la fin de Mozart. Hommage repris par l'amère allusion de « la Maffia » aux deux chevaux de bataille qui emmènent à la fosse commune le réfractaire qui n'a pas su faire « sa » carrière artistique

> *...et suivi d'un chien qui brame*
> *à son amour, à son amour*

Ce salut donné aux très grands frères en révolte — musiciens mais poètes — il y a les musiciens modernes. Léo Ferré en reconnaît trois particulièrement : Debussy, Ravel et Bartok ; et aussi Erik Satie. Et Duparc, qui comme lui a mis en musique Baudelaire. Le jazz, il s'en méfie, bien qu'il ait rendu dans « Dieu est nègre » un magnifique hommage à la trompette de jugement dernier de Louis Amstrong. Ce qu'il reproche aux musiciens de jazz c'est cette technique de l'improvisation qui charrie de tout, des paillettes de métal pur, mais aussi du tout-venant ; et aussi certain traitement, ou mauvais traitement, de la voix humaine. Après tout on n'est pas absolument obligé d'aimer le jazz ; surtout si l'on fait une autre musique, et précisément celle de Léo Ferré. Tout de même il y pense, lui qui est dans le coup de toutes les musiques d'aujourd'hui qui sont dans la vie, puisqu'il songeait récemment à écrire un concerto pour orchestre de jazz.

C'est le moment de le remarquer : pas plus que d'une poésie non pas d'un mais de tous, l'époque où l'on vit et pense et le reste ne peut se passer d'une musique non pas d'un ou de quelques-uns mais de tous, et qui pour autant ne serait pas musique d'ameublement — comme disait Satie — ou seule et maigre recherche de laboratoire. En réalité, il faudra toujours du laboratoire ; mais l'ameublement, on s'en fout. Ce n'est pas moi, bien au contraire, qui récuserait par principe ou par goût, Schœnberg et Alban Berg, ou Varèse ; mais je n'en tiens pas pour moins indispensable l'apport ou la présence — comme on voudra — dans la musique contemporaine, de Kurt Weill. Remarquons, sur ce propos, que des alchimistes tels que Debussy et Ravel n'en étaient pas moins dans la vie entière de leur époque. Toute époque a besoin de sa musique ; le dix-septième siècle français, les dix-huitièmes siècles italien et allemand, vivaient en musique ; et Lulli, Vivaldi et Mozart avaient réussi ce coup de génie — de génie naturel — d'être aussi des musiciens populaires. Aujourd'hui il y a d'un côté la musique moderne — tant mieux — puis de l'autre le jazz — pourquoi pas — et puis le rock, le twist, hélas ; et la chanson... C'est pourquoi on peut saluer largement, très largement Léo Ferré d'avoir réintégré la musique authentique à la chanson moderne. Ceci dit, de plus spécialistes que moi analyseront dans sa musique ce qui s'apparente aux accords debussystes, à la modulation fauréenne, à l'orchestration ravélienne ; l'admirable et le piquant, c'est que tout cela soit et tienne sur des rythmes de danses modernes. Ce ne sont pas des javas, des tangos, ni des cha-chas comme les autres ; c'est tout de même java, tango et cha-cha. Thank you Satan, c'est un rock. A mon avis, cet usage des musiques de la rue, c'est plus moderne que Menotti.

★

Ce que l'on peut en conclure aussi, c'est une conscience particulièrement précise et agile du métier de poète-musicien : la haîne de l'amateur, la haine du bruit — mes vers se déchaussent du bruit, écrit-il — et enfin, comme à l'inverse de ce que nous avions noté plus haut, un dédouanement du poète par le musicien. A l'inverse, mais complémentairement. Le poète, s'étant ainsi placé ou replacé dans son ambiance sonore native, est libre ; libre de se livrer, avec le maximum de chance à cet « abus immodéré du stupéfiant image » qui est, après tout, l'une des tentations les plus fécondes et les plus merveilleuses de la poésie.

Au scandale des bien pensants, bien sûr. Ainsi je me rappelle avoir entendu un jour une dame bien — quelque douairière des lettres — dire des chansons de Léo Ferré, et des récentes singulièrement : « Oh, la voix est ravissante, mais tous ces mots mis bout à bout... » Peut-être, chère madame ; bout à bout, mais par quel bout... Toute la question est là, comme dans toute poésie qui est une poésie d'images. Et l'on sait bien que l'une des sources favorites de l'image est le jeu de mots ; et que dans cette apparente anarchie des mots en liberté, et qui font l'amour, il y a cette rigueur et cet éclat des miroirs jouant à se refléter comme à l'infini l'un dans l'autre, à se renvoyer les reflets de choses, d'êtres, de situations qui jusque-là ne s'étaient jamais reflétés ainsi l'un à l'autre. Bref, bout à bout dans cette galerie des glaces de la poésie où brusquement, d'un pot de fleurs lâché au bon endroit, une colère baudelairienne fait tout voler en éclats, comme dans « un palais de cristal crevé par la foudre ». Façon comme une autre, puisque l'on écrit aussi son roman de la rose, de passer des allégories amoureuses aux allégories sociales vengeresses. Et il s'en va très exactement chez Léo Ferré — lui le poète courtois qui se souvient du milieu, qui parle un argot d'images — comme d'un qui serait à la poésie et un Charles d'Orléans et un Rutebeuf. Tiens, comme dans la haute, me fait-on remarquer. Bien sûr, comme dans la poésie.

★

Entrons maintenant dans le monde — ou plutôt les mondes, les contrées, les bois et les terrains vagues, les villes et les faubourgs, les étangs et les châteaux en Espagne — de cette poésie. Entrons pour commencer dans cette ombre de bois noir ou de rue noire qui est la « pédale harmonique fondamentale », qu'on me passe ce terme de musicologie, du monde de Léo Ferré. Par-ci par-là des lanternes, douteuses lumières, où l'ombre du poète s'en va gueusant, tellement, tellement... Prenons le pas, mais où est le fil pour s'en tirer, de cette nuit, ou tout au moins s'y mouvoir, y vivre ; ce qui ne veut pas dire s'en accommoder. On est peut-être chez soi dans les rafraîchissantes ténèbres de la nuit aux rêves, à l'aise comme le poisson dans l'eau et l'enfant dans le ventre de sa mère ; mais la nuit froide de fin des temps qui tombe comme un sac, et nous dedans, sur le mannequin mangé aux mites d'un monde social stupidement occupé à se tirer ses dernières cartes, on ne s'en accommode pas. Ce qu'il faudrait, c'est un revolver ou un couteau, un flingue ou un surin ; mais l'arme du poète, son rayon mortel, c'est la parole.

Ta parole ma parole... ● Au commencement était le verbe, est-il écrit pompeusement ; disons plutôt, nous autres copains de la neuille : la parole a été donnée à l'homme pour s'en servir, lanterne sourde ou surin. A l'origine du monde il y a l'ombre ; mais au commencement de l'homme il y a la parole. Ta parole, ma parole, a froid toute nue peut-être, ô poète gueusant dans l'ombre quaternaire de cet aujourd'hui à odeur de derniers temps. Un accordéon dans la nuit, un jeu de mots, et on est parti. On a l'argot, ce piano du pauvre, et la poésie s'en va comme une rôdeuse, à pas de loup, sur l'oblique d'un jeu de mots. On trébuche, ou l'on feint de trébucher, mais le poète n'est-il pas de toute éternité cet homme pris de vin ? Il glisse ou danse comme un voleur sur ses espadrilles, mais il sait très bien, cet homme dans la rue froide, qu'un jour il chaussera la sandale ailée et la chaussure dorée.

Voici donc le premier pays de Léo Ferré. Je dirais même sa première « mansion », comme il était indiqué dans la mise en scène des mystères du Moyen Age. C'est un pays qui tient du faubourg, du fortif et du terrain vague. Java partout, bien entendu, c'est la musique du vagabond, comme la chanson est sa poésie, et la rue sa nature, ses paysages. La vie est noire, et ça ne facilite pas les choses, mais on chante tout de même, chacun sa musique. L'accordéon, c'est le chopin du printemps — encore un jeu de mots, tu viens, chéri — chacun sa musique donc, et la zizique à poil c'est fatal, à l'endroit ou à l'envers, à Londres ou à Anvers, dans la vieille rengaine à rumba, une rengaine à gaine et à bas, ou sous le soleil mauve des lilas de Nogent. On a sa chance tout de même : à Marseille il y a une fille à minuit qui s'ouvrait sous la lune. Les jacques et les clochards ont bien leurs plaisirs, eux aussi. T'en as, moi pas, mais j'en aurai, un jour. En attendant ce jour, qui brûlera comme le brasero du grand soir sur le quai des brumes, il y a l'âme du rouquin. Décidément très baudelairien ce pays, et pourquoi les gens qui ne sont pas de la haute n'auraient-ils pas leur Baudelaire à eux, simplement traduit du littré dans la langue verte ? Vous êtes tout cela, Monsieur mon passé, alors on vous fera danser à l'accordéon, comme tout le monde.

La vie moderne •

Car il suffit d'un peu d'accordéon pour oublier la vie moderne, ce n'est pas l'accordéon qui en rend compte, de cette vie moderne, on ne veut pas y couper comme les autres, ceux qui vont à Megève, chez Dior, et aux grandes premières. Ce n'est pas spécialement drôle, le temps du plastique. Vise un peu, pour voir, la réclame et les vitrines. C'est les temps mécaniques, on sait où ça conduit quand on avale tout, de la relativité de Monsieur Einstein à la bombe — qui n'est pas relative mais absolue — et des cylindrées de quarante chevaux aux vingt-quatre heures du Mans. Encore les vingt-quatre heures du Mans ne sont-elles que du fait divers ; mais au bout de la pente bien cirée, intellectuellement parfaite, je veux dire logique, qui va du relatif à l'absolu, il y a un fait divers généralisé. En d'autres temps on réussissait à se tenir en dehors du monde, à l'écart — on est si bien partout ailleurs — mais aujourd'hui on est tous dans le coup d'office, chacun sa part entière du fait divers. Chantons donc, et que le diable l'emporte, ma chanson mécanisée. D'ailleurs, à ces astuces techniques près, rien n'a changé, on tourne en rond. Les temps étaient bizarres jadis, c'est du moins ce que disaient les bourgeois devant les idées de Baudelaire, la mistoufle tahitienne de Gauguin, l'oreille coupée de Van Gogh ; mais en un sens les temps étaient faciles, c'était la belle époque de la dame de chez Maxim's, de l'affaire Dreyfus et du scandale des décorations. Petit scandale, il faut bien le dire, aujourd'hui il y a l'Algérie et la Question. A part ça, et en attendant que la poésie soit dans la rue, rien n'a tellement changé, on tourne en rond, je ne parle pas seulement du globe de la terre. Ainsi, dure, dure ma chanson, le temps que je me marre. Au reste, personne ne vous empêche d'aller boire un pot à Cannes, pour oublier. Il se pourrait d'ailleurs, en ces temps... enfin ces temps étranges que sont les nôtres, que l'une des capitales du monde soit Cannes-la-connerie, chef-lieu de la pensée. C'est comme j'ai l'honneur de vous le dire, vulgaire pour

une fois, en dépit des festivals du cinéma : Cannes-la-bra-
guette. J'en ai rapporté, comme on sait, une vilaine chanson.
A part cela, il fait beau.

Un certain Paris •

A Paris, il fait moins beau, c'est
connu. Mais c'est beau tout de
même, autrement dit c'est si bon, cela sent l'homme
et la femme, comme nulle part ailleurs. Oh, ce n'est pas
seulement le genre brin de lilas et fleur de Pantin ; ce n'est
pas seulement la voix grise, comme son ciel usé, de la ville
au long des rues, et ce mauve des quais de la Seine qui a
hanté Monsieur Gauguin jusqu'à sa mort, il y a les châteaux
d'Aubervilliers et quelqu'un, bras noués autour de sa misère,
qui en est à se demander si vraiment on a pris la Bastille ; il
n'y a pas que les gueulantes d'accordéon — charmant, pitto-
resque — il y a la Faim des pauvres et la Poisse de la vie
d'artiste, et Notre-Dame — pas celle de l'histoire de France —
il y a Notre-Dame de la Mouise ; et il y a le Guinche, tout
de même, mais ça n'empêche pas les idées, et les idées qui
font penser, et les pensées qui font gueuler. Tu es Paname,
Paris, mais tu n'es pas qu'une fille à chansons, et si on te
frappait on prendrait les armes, la chose s'est vue. Et c'est
pour ça qu'on crie ton nom.

C'est pour ça aussi qu'on est chez nous, chez toi... Tu
n'es pas pour nous qu'un frisson, non ; mais ton frisson on
l'a ou on ne l'a pas, et quand on l'a une fois c'est pour la
vie. Ce n'est pas devant les vitrines des Champs-Elysées
qu'on l'attrape, ta maladie — et l'esprit est une maladie qui
conduit loin, je ne dis pas l'esprit parisien mais l'esprit de
Paris — ton esprit et ton frisson c'est dans tes rues après

52

minuit qu'on les attrape. De préférence dans les rues écartées, les rues reculées, celles qui n'ont pas d'autre histoire que la vie dure au jour le jour, les « écarts », comme on dit à la campagne, de Saint-Ouen et Clignancourt, des Lilas et de Montreuil (une station-métro Robespierre) de Vincennes et de Charenton (une station Liberté), d'Ivry, Vanves et Boulogne-Billancourt ; le bois de Boulogne étant réservé aux rupins. Ou les rues qui ont eu une histoire — les Halles, le Châtelet — mais qui n'en ont plus, ou tellement contemporaine, voir certains parcours Bastille - Nation - République, que le Figaro estime que ce n'est pas cela l'Histoire, majuscule. Il est de fait que dans cette perspective de Champs-Elysées et tombeau sous l'Arc de Triomphe tu es une ville publique, comme on dit fille publique, et qui fait les uniformes, Paris ; mais tu es aussi une ville ésotérique et de fantômes légers comme ton brouillard et lourds comme du mercure alchimique, Rue du Fouarre, pas loin de la Maubert, les chiffonniers du petit matin ramassent parfois après une ronde des pèlerines, les chaussons de lisières de François Villon. Quelquefois le Théâtre Sarah-Bernhardt disparaît dans un trou du temps et à la place de la boîte du souffleur, on voit se balancer rue de la Vieille-Lanterne, léger comme la vie brève et la fleur des champs, le corps mortel de notre ami Gérard de Nerval. Encore un copain de la neuille, un frangin de la nuit, un qui se faisait son beurre avec son chagrin et puis, sans même attendre le petit matin... Alors on ne se pendra peut-être pas, nous autres, mais on vivra tout de même en rêve pour gagner du temps. On cachera notre jeu, on dira qu'on a le rouquin en guise de frisson d'amour, on expliquera ça aux gens en causant des mains, bouche cousue, et on ira à nos affaires. A bon entendeur salut. Le plus Paris de Paris n'est pas celui qu'on pense.

Moralités et Dits du monde • De même que Dieu... Il faut tout de même en parler, de ce masque de tragédie doublé d'un haut-parleur, installé dans nos imaginations depuis des millénaires. Alors on lui dit, c'est l'heure des comptes, merci mon Dieu, comme si tu pouvais, toi l'homme sentant, pensant et libre — et chantant, comment donc — remercier le contrôleur des directes de t'avoir contrôlé et le percepteur de t'avoir pressuré. Au moins ces deux-ci existent, mais celui-là... Rien n'est plus meurtrier que ce genre de fantômes. On se tourne alors vers son anti-fantôme. Comme l'explique à haute voix Léo Ferré : « Le diable m'a dit : Ferré, fais-moi une chanson. C'était une commande. Et puis une commande du diable, mon Dieu, ça change ». Ainsi, Thank you Satan. Et Dieu sait de quoi on le remercie, le diable. De tout ce de quoi sont morts, depuis des siècles, ceux qu'on appelait au Moyen Age les « gens de Dieu », et qui pourtant n'étaient pas les gens d'église ni d'état, au contraire : ceux de la croisade des pauvres gens, et les jacques, et les hérétiques ; et aux temps modernes les communards ; et les hommes et les artistes dignes de ces deux noms, bref les réfractaires à toutes les conscriptions et tous les contingents.

C'est pourquoi, Dieu étant mort, les gens de Dieu sont devenus les gens du diable. Peu importe que la prise de la Bastille n'ait servi à rien ou presque, Mozart, Rimbaud et l'anarchiste de Barcelone sont là pour témoigner de « la liberté ou la mort », en ce monde où les muselières... Peu

54

Léo Ferré

importe, et bonne mesure prise des fantômes sanglants — à
toi, Miss Guéguerre — et des mannequins dorés qui en
vivent — à vous, les Rupins — on ne perdra pas de temps,
on n'a plus le sentiment à la pochette, à saluer les lents et
douloureux cortèges nés du complexe de panoplie et du portefeuille dans la tête. Ça, c'est votre homme, Messieurs ; nous
c'est la graine d'ananar, et on la sèmera comme le vent,
quelque part, n'importe où, partout. Peut-on vous le dire,
preuves à l'appui : y'en a marre. Et puis à nous les fruits
défendus, l'amour, la liberté, il n'y a pas de raison de refuser
la vie sous prétexte que les bourgeois y sont quelque part,
je veux dire dans l'égout. Et soyons poètes, amis, traversons
les brumes qui traînent sur le monde avec des pas d'oiseaux,
il n'est pas dit que nos paradis soient tellement d'artifice et
nos pays d'absurdité.

Et même si cela était, si l'absurdité était totale — finale,
irrémédiable — nous irons tout de même...

Ce cœur en écharpe ● Oui, si tu t'en vas ; si tu t'en
vas, mon amour, dans ces
coins-là, au-delà de la vie, où les paroles d'amour ne s'envo-
lent pas, où les prières n'arrivent pas... Si tu t'en vas, mon
amour, fini le temps des roses rouges et de la main de chair,
l'orgue jouera et ce ne sera point par analogie. Je serai sous
la terre, fantôme sans os, et ce ne sera point « par les ombres
myrteux » de la poésie classique, je serai coincé nez à nez
par un ciel de bois, ce n'est pas de la littérature. Les vers
d'amour m'auront rimé autrement que moi. Cependant la
mer ira toujours vers le rivage. Pas d'autres fleurs que les
roses blanches de ma vie, données à tous mes amis, et en

fin de tout — non, de toi et de moi, de nous — effeuillées sur mes quatre planches. Sur ma tombe la fleur de la chimère, déposée par un ami lointain que je n'aurai jamais connu. C'était donc ça la vie : la rue infernale qui nous mène au sapin. Alors sous mon ciel de bois, mes succès, mon génie, je m'en fiche, comprends-tu. J'ai eu vingt ans, j'ai eu ma gueule, comme on dit, et puis je suis passé à l'examen de minuit, j'ai essayé de maquiller le problème, et puis voilà. Je me dis, je me dirai sous mes six pieds de terre, que c'est court comme un cri, une permanente ou un blue-jean, cet espace de la vie qui aboutit à cet espace final. Je n'aurai plus de voix que dans un microsillon, autre prison ; mais combien de temps encore se souviendra-t-on de l'oiseau mélancolique qui ne chantera plus jamais ?

C'est tout cela que je me dis, mon amour, avec ma voix du dedans, quand je me parle à moi et que je me dis : ma vieille branche... Il faut que tu bosses pour arriver jusqu'au printemps, avec l'hiver au bout de ta vie. Tu es aussi l'Homme au cœur en écharpe, on n'en guérit pas facilement.

Mais quand on aime c'est jusqu'à la mort. Et d'abord, c'est pour toute la vie.

L'Amour, l'Etang chimérique et l'âge d'or .

Toute la vie, quel rêve. Mais quand il s'agit d'aimer, ce rêve est vérité ; mieux encore, réalité, puisqu'il est résolument dans le même état, le même acte harmonique, de l'une des dissonances ou oppositions humaines fondamentales, celle de l'homme et de la femme. Les problèmes de langage ne reflètent jamais,

peut-être, que les problèmes naturels ; par exemple les problèmes organiques, fonctionnels de la nature même, la nature
profonde de l'être humain. L'Amour, l'amour à faire, à vivre,
c'est peut-être sur le plan existentiel, comme ils disent, le
temps perdu et les occasions de même, le bonheur — cette
chose obscure — et la douleur — cette chose claire — ; c'est
délire, aveuglement et illusion, parfois, et coups et blessures,
toujours ; il n'empêche que sur le plan réel, dans l'espace
entier de l'être et de la vie, la mémoire, du moins la mémoire
à souvenirs, c'est certes l'étang chimérique, puisque ne s'y
reflètent que les souvenirs passés, et si j'ose dire, futurs, tous
les châteaux en Espagne ; mais la mémoire entière, cette
mémoire baudelairienne de la vie antérieure qui est comme
l'eau-mère, le vivier inépuisable des images, elle est éternel-
lement au présent et en travail sur elle-même, comme cette
autre entité passablement connue, à la fois réalité physique
et mythe de cette réalité, qu'on appelle la Nature.

Alors l'étang ne stagne plus sous les beaux, les trop beaux
nénuphars blancs symboliques du néant ; il se met à frémir,
il bouge, il coule, les eaux mortes de la mémoire-souvenir
ont fait leur mutation de l'hiver au printemps, au printemps
des eaux vives de la mémoire-imagination. L'histoire est de
toujours, elle se renouvelle chaque fois que « l'homme, ce
rêveur définitif, de plus en plus mécontent de son sort »,
décide une bonne fois d'en changer, et de faire de son rêve
sa vie. Un moyen comme un autre, c'est le moins qu'on puisse
en dire ; et moyen qui contredit moins tous les autres qu'il
ne les prend en charge ; qu'il ne leur donne un sens, enfin.
De l'étang chimérique au fleuve physique où vont les amants,
il n'y a qu'un pas et des gestes à faire, et l'âge d'or n'est

plus une légende. La vie antérieure n'est plus morte, c'est à partir d'elle que retentit l'invitation au voyage. Amis, tirons les quatre cents coups, faisons nos frasques. On a fauché son verre à l'espérance ; tout est vert, petit voyou, la nature bat ses tapis, c'est la grande vie. A l'Institut la romance et la vieillerie poétique, la poésie est dans la rue ; et la rue, la rue, elle est — comment dire — elle est maboule, ô jolie môme. Et tout ça finira bien un jour, nous mourrons tous, belle découverte, mais on s'en fout, l'été s'en fout. On aura vécu. On est les amants.

Ainsi parle, si on lui prête un peu d'attention, l'Homme qui chante, et qui apparemment ne fait mine que de chanter, dans les chansons de Léo Ferré. Le monde est un hiver très noir, le vin de la vie est âcre comme une amertume cuite et recuite, mais quand s'ouvrent lentement les grandes portes noires du buffet rimbaldien aux rêves, on ne bute pas sur quatre planches de sapin, et l'odeur du néant. La mort peut-être pas loin, un jour, mais d'abord les grandes orgues de la nature, leur souffle de violettes. Quand il y a la mer et puis les chevaux, mais que dans tes bras c'est bien plus beau... On en raterait la fin du monde, on en vendrait l'éternité, mon amour.

« Je t'aime... »

L'OPERA DU CIEL

J'ai tant pleuré que je n'ai plus
Le souvenir de mes alarmes
Car j'ai versé jusqu'à la larme
Qui me donnait l'air ingénu
Et si mon cœur n'est pas plus pur
Que la source où boivent mes rêves
C'est qu'il est transpercé de glaives
Et qu'il reste criblé d'azur

Si j'avais les yeux du bon Dieu
Je me les crèverais
Et pour amuser les curieux
Je les leur donnerais
Et par ces fenêtres nouvelles
Ils verraient ce qu'on a cru voir
Tous les millions de désespoirs
Vomis par mille clientèles
Si j'avais les yeux du bon Dieu
Je pleurerais des larmes rouges
Et jusqu'au plus profond des bouges
J'apporterais la paix des cieux

J'ai tant battu la vanité
Que le sang me monte à la tête
Moi qui croyais être à la fête
Et qui vis dans l'absurdité
Le grand amour que j'ai conçu
Pour les humains de la déroute
A terminé sa longue route
Et je demeure un invendu

Si j'avais les mains du bon Dieu
Je me les couperais
Et pour aider les pauvres gueux
Moi je les leur coudrais
Sur les moignons de la misère
Dans les coulisses du bonheur
Ils pourraient se pétrir des cœurs
A renverser la terre entière
Si j'avais les mains du bon Dieu
Je giflerais la bourgeoisie
Et trouverais des chirurgies
Pour occuper ces beaux messieurs

J'ai tant chanté les désespoirs
Que ma voix s'est humanisée
Et qu'elle semble être passée
Sur de sinistres abattoirs
Je me fous de leur Rédemption
Et je ne crois pas aux miracles
Car dans l'enfer de mes débâcles
Satan n'est qu'un échantillon

Si j'avais la voix du bon Dieu
Je l'humaniserais
Et dans le micro des pouilleux
Je l'emprisonnerais
Et sur les ondes migratrices
S'envolerait le chant nouveau
Qui bercerait tous les salauds
À la recherche des Polices
Si j'avais la voix du bon Dieu
Je gueulerais dans le silence
De l'éternelle voûte immense
Que l'on prétend être les cieux

BARBARIE

Dans la rue anonyme
Y'a partout des Jésus,
Qui vont quêter leur dîme
Avec des yeux battus...

Barbarie, donne lui quelques sous ;
Barbarie, ô cet air aigre doux !
Barbarie, après tout je m'en fous...

Dans la rue où l'on pêche
Y'a des filles d'amour,
Qui mettent leur chair fraîche
A l'étal des carr'fours...

Barbarie, garde donc ton écu,
Barbarie, c'est toi qui l'as voulu,
Barbarie, le remède est connu...

Dans la rue à nausée
Y'avait un assassin,
Qui donna la saignée
Au galant pèlerin...

Barbarie, ce fut accidentel,
Barbarie, en sortant de l'hôtel,
Barbarie, le péché fut mortel...

Léo Ferré

Dans la rue infernale
Qui nous mène au sapin,
Lave ton linge sale,
Mais prends garde aux pépins...

Barbarie, si tu veux de l'amour,
Barbarie, méfie-toi des discours,
Barbarie, le bonheur est si court...

LE TEMPS DES ROSES ROUGES

Au temps des roses rouges
Mon cœur sera glacé,
Car mon œil offensé
Taira les infortunes
Au temps des roses rouges,
Je vendrai pour trois thunes
Le salaud d'à côté
Qui est un gars titré !

Et la roue tournera
Comme tourne la vie,
Mon couteau s'en ira
Fair' de la poésie.

Au temps des roses rouges
Mon gant sera de fer,
Sur une main de chair
Et ça leur fera drôle.
Au temps des roses rouges
D'lâcher leurs monopoles,
En gueulant de travers
D'inutiles Pater.

Vivra bien qui vivra
Le temps de barbarie,
Quand l'orgue ne jouera
Que par analogie

Au temps des roses rouges
Sur mon ami Pleyel,
Je mettrai au pluriel
La complainte du crime,
Au temps des roses rouges
Car ils paieront la dîme
Les seigneurs sans appel
Notés sur mon Lebel.

Mourra bien qui mourra
D'une vraie maladie,
Car la roue finira
Plus d'une biographie.

Au temps des roses rouges
Le bon Dieu sera sourd,
Et le moment si court
Pour prendre les enchères.
Au temps des roses rouges

Misère pour misère
On éteindra le jour
De tous ces gens de cour.

Rira bien qui rira
Comme à la comédie,
L'acteur disparaîtra
Y'aura toujours la vie.

L'ETANG CHIMERIQUE

Nos plus beaux souvenirs fleurissent sur l'étang
Dans le lointain château d'une lointaine Espagne
Ils nous disent le temps perdu ô ma compagne
Et ce blanc nénuphar c'est ton cœur de vingt ans.

Un jour nous nous embarquerons
Sur l'étang de nos souvenirs
Et referons pour le plaisir
Le voyage doux de la vie
Un jour nous nous embarquerons
Mon doux Pierrot ma grande amie
Pour ne plus jamais revenir.

Nos mauvais souvenirs se noieront dans l'étang
De ce lointain château d'une lointaine Espagne
Et nous ne garderons pour nous ô ma compagne
Que ce blanc nénuphar et ton cœur de vingt ans.

Un jour nous nous embarquerons
Sur l'étang de nos souvenirs
Et referons pour le plaisir
Le voyage doux de la vie
Un jour nous nous embarquerons
Mon doux Pierrot ma grande amie
Pour ne plus jamais revenir

Alors tout sera lumineux mon amie.

SAINT-GERMAIN-DES-PRES

J'habite à Saint-Germain-des-Près
Et chaque soir j'ai rendez-vous
Avec Verlaine
Ce vieux Pierrot n'a pas changé
Et pour courir le guilledou
Près de la Seine
Souvent on est flanqué
D'Apollinaire
Qui s'en vient musarder
Chez nos misères
C'est bête,
On voulait s'amuser,
Mais c'est raté
    On était trop fauchés.

Regardez-les tous ces voyous
Tous ces poètes de deux sous
Et leur teint blême
Regardez-les tous ces fauchés
Qui font semblant de ne jamais
Finir la s'maine
Ils sont riches à crever,
D'ailleurs ils crèvent
Tous ces rimeurs fauchés
Font bien des rêves
Quand même,

67

Ils parlent le latin
Et n'ont plus faim
    A Saint-Germain-des-Prés.

Vous qui passez rue de l'Abbaye,
Rue Saint-Benoît, rue Visconti,
Près de la Seine
Regardez l'Monsieur qui sourit,
C'est Jean Racine ou Valéry
Peut-êtr' Verlaine
Alors vous comprendrez
Gens de passage
Pourquoi ces grands fauchés
Font du tapage
C'est bête,
Il fallait y penser,
Saluons-les
    A Saint-Germain-des-Prés.

68

PARIS-CANAILLE

1

Paris marlou
Aux yeux de fille
Ton air filou
Tes vieill's guenilles
Et tes gueulant's
Accordéon
Ça fait pas d'rent's
Mais c'est si bon.
Tes gigolos
Te déshabillent
Sous le métro
De la Bastille
Pour se soûler
A tes jupons
Ça fait gueuler
Mais c'est si bon

Brins des Lilas
Fleurs de Pantin
Ça fait des tas
De p'tits tapins
Qui font merveille
En tout' saison
Ça fait d' l'oseille
Et c'est si bon
Dédé-la-croix

Bébert d'Anvers
Ça fait des mois
Qu'y sont au vert
Alors ces dam's
S'font un' raison
A s'font bigam'(s)
Et c'est si bon

2

Paris bandit
Aux mains qui glissent
T'as pas d'amis
Dans la police
Dans ton corsage
De néon
Tu n'es pas sage
Mais c'est si bon
Hold-up savants
Pour la chronique
Traction avant
Pour la tactique
Un p'tit coup sec
Dans l'diapason
Rang' tes kopecks
Sinon t'es bon

A la la une
A la la deux
Fil' moi trois thunes

J'te verrai mieux
La tout' dernièr'
Des éditions
T'es en galèr'
Mais c'est si bon
A la la der
A la la rien
T'es un ganster
A la mie d' pain
Faut être adroit
Pour fair' carton
La prochain' fois
Tu s'ras p'têt' bon

3

Paris je prends
Au cœur de pierre
Un compt' courant
Des bell's manières
Un coup d' chapeau
A l'occasion
Il faut c'qui faut
Mais c'est si bon
Des Sociétés
Très anonymes
Un député
Que l'on estime
Un p'tit mann'quin
En confection

C'est pas l'bais'main
Mais c'est si bon
Pass' la monnaie
V'là du clinquant
Un coup d'rabais
And gentleman
Un carnet d'chèque
Sans provision
Faut faire avec
Mais c'est si bon
Un p'tit Faubourg
Saint-Honoré
Trois petits fours
Et je m'en vais
Surpris'-party
Surpris'-restons
On est surpris
Mais c'est si bon

Paris j'ai bu
A la voix grise
Le long des rues
Tu vocalises
Y'a pas d'espoir
Dans tes haillons
Seul'ment l'trottoir
Mais c'est si bon
Tes vagabonds
Te font des scènes
Mais sous tes ponts

Coule la Seine
Pour la romance
A illusion
Y'a d'l'affluence
Mais c'est si bon

Môm's égarées
Dans les faubourgs
Prairie pavée
Où pouss' l'amour
Ça pousse encor
A la maison
On a eu tort
Mais c'est si bon
Regards perdus
Dans le ruisseau
Où va la rue
Comme un bateau
Ça tangue un peu
Dans l'entrepont
C'est laborieux
Mais c'est si bon
Paris Flon flon
T'as l'âme en fête
Et des millions
Pour tes poètes
Quelques centimes
A ma chanson
Ça fait la rime
Et c'est si bon

L'HOMME

Veste à carreaux ou bien smoking
Un protefeuille dans la tête
Chemise en soie pour les meetings
Déjà voûté par les courbettes
La pag' des sports pour les poumons
Les faits divers que l'on mâchonne
Le poker d'as pour l'émotion
Le jeu de dame avec la bonne
   C'est l'homme

Le poil sérieux, l'âge de raison
Le cœur mangé par la cervelle
Du talent pour les additions
L'œil agrippé sur les pucelles
La chasse à courre chez Bertrand
Le dada au Bois de Boulogne
Deux ou trois coups pour le faisan
Et le reste pour l'amazone
   C'est l'homme

Les cinq à sept « pas vu pas pris »
La romance qui tourne à vide
Le sens du devoir accompli
Et le cœur en celluloïde
Les alcôves de chez Barbès
Aux secrets de Polichinelle

Léo Ferré

L'amour qu'on prend comme un express
Alors qu'on veut fair' la vaisselle
        C'est l'homme

Le héros qui part le matin
A l'autobus de l'aventure
Et qui revient après l'turbin
Avec de vagues courbatures
La triste cloche de l'ennui
Qui sonne comme un téléphone
Le chien qu'on prend comme un ami
Quand il ne reste plus personne
        C'est l'homme

Les tempes grises vers la fin
Les souvenirs qu'on raccommode
Avec de vieux bouts de satin
Et des photos sur la commode
Les mots d'amour rafistolés
La main chercheuse qui voyage
Pour descendre au prochain arrêt
Le jardinier d'la fleur de l'âge
        C'est l'homme

Le va-t'en guerre y faut y'aller
Qui bouff' de la géographie
Avec des cocarde(s) en papier
Et des tonne(s) de mélancolie
Du goût pour la démocratie
Du sentiment à la pochette

Le complexe de panoplie
Que l'on guérit à la buvette
      C'est l'homme

L'inconnu qui salue bien bas
Les lents et douloureux cortèges
Et qui ne se rappelle pas
Qu'il a soixante-quinze berges
L'individu morne et glacé
Qui gît bien loin des mandolines
Et qui se dépêche à bouffer
Les pissenlits par la racine
      C'est l'homme

MERCI MON DIEU

De nos tanières de draps blancs,
De nos grabats mangés aux rêves,
De notre pain de temps en temps
Et de nos miettes marche ou crève
Avec la vie au beau milieu,
Et puis la faim qui nous soulève,
Nous te disons : « Merci, mon Dieu ! »

De nos salaires raccourcis
Et qui rallongent notre gêne,
De l'or qui pousse aux quat' jeudis,
De nos éternelles semaines
Avec la rage au beau milieu,
Et puis l'envie qui nous malmène,
Nous te disons : « Merci, mon Dieu ! »

De notre terre à ciel perdu,
De nos fusils à cicatrices,
De nos enfants qui n'ont pas pu
Eloigner d'eux l'amer calice
Avec la guerre au beau milieu,
Et puis le héros qui s'y glisse,
Nous te disons : « Merci, mon Dieu ! »

Des chevaux d'avoine posthume
Qui traînent leur dernier convoi,

Des chiens perdus que l'on transhume
Vers leur dernier pipi de croix
Avec la mort au beau milieu,
Et la pitié qui nous consume,
Nous te disons : « Merci, mon Dieu ! »

De cette croix du Golgotha
Qui crucifie tant de poitrines,
Et de ton fils qui n'a fait ça
Que pour la peau et les épines
Avec l'amour au beau milieu,
Et puis ton ciel qu'on imagine,
Nous te disons : « Pourquoi, mon Dieu ! »

LA GRANDE VIE

1

Comm' change en un clin d'œil
Un ciel qui s'croit en deuil
Quand le soleil s'en mêle
On va changer d'refrain
La lun' c'est pas si loin
Suffit d'y mettr' l'échelle

Trente-deux crocs
Pour y croquer
Le temps qu'il faut
Et des idées
A fair' plisser
L'ciment armé
Rien qu'à regarder
Comment c'est fait
La grand'vie
Que j'te dis
La grand'vie

2

Une chanson d'amour
Qui rimera toujours
Avec la rigolade

Une auto il en faut
Pour qu'on jase au bistrot
Devant la citronnade

Et puis l'ciné
Rama ou non
Mais s'y carrer
Comm' des patrons
Et faire un bail
Aux trucs sensass'
Avec un' paill'
Pour mieux qu'ça pass'
La grand'vie
Que j'te dis
La grand'vie

3

Des briqu's pour rapiécer
Notr' carrée ajourée
Et des gauloises blondes
Mohammed sur ta peau
Et moi comme un chapeau
Et notre amour à l'ombre

Un lit rupin
Pour s'y croquer
Comm' les gens bien
Dans la journée
Et un chrono
Pour s'y arrêter

Le temps qu'il faut
Et déguster
La grand'vie
Que j'te dis
La grand'vie

4

Un costard en anglais
Un trois-quarts en entier
Et des pieds d'crocodile
Des valoch's tout confort
Pour caser notr' décor
Ailleurs qu'au bois d'Chaville

Et foutr' le camp
Et pour de vrai
Ailleurs que dans
Les illustrés
Et s'mettr' la terr'
Dans les mirett's
Et la vie chère
« In the pocket »
La grand'vie
Que j'te dis
La grand'vie

5

De vieux bijoux pas vrais
Qui luiront au rabais

Sous des becs électriques
Un châle s'en allant
De la frange et dedans
Ta jeunesse et sa clique

Rentrer chez nous
Comm' des moineaux
P't'êtr' sans un sou
Mais comme il faut
Avec toujours
Dans un p'tit coin
Un coin d'amour
Qui valait bien
La grand'vie
Que j'te dis
La grand'vie

VITRINES

Des Cadillacs et des ombrelles
De l'albuplast et des bretelles
De faux dollars de vrais bijoux
Y'en a vraiment pour tous les goûts
Des oraisons pour dentifrices
Des chiens nourris qui parl'nt anglais
Et les putains à l'exercice
Avec leurs yeux qui font des frais
De faux tableaux qui font la gueule
Et puis des vrais qui leur en veulent
Des accordéons déployés
Qui souffl'nt un peu avant d'gueuler
Des fill's en fleurs des fleurs nouvelles
Des illustrés à bonne d'enfant
Et des enfants qui font les belles
Devant des mecs bourrés d'argent

Les vitrines de l'avenue
Font un vacarme dans les cœurs
A fair' se lever le bonheur
Des fois qu'il pouss'rait dans les rues

Les faux poètes qu'on affiche
Et qui se meur'nt à l'hémistiche
Les vedettes à nouveau nez
Paroles de Léo Ferré
Les prix Goncourt que l'on égorge
Les gorges chaudes pour la voix

Les coup' file et les soutiens-gorge
Avec la notice d'emploi
Des chansons mortes dans la cire
Et des pick-up pour les traduire
Microsillon baille aux corneilles
C'est tout Mozart dans un' bouteill'
Le sang qui coul' plein à la une
Et qui se caille aux mots croisés
« Franc' soir », « Le Monde » et la fortune
Devant des mecs qu'ont pas bouffé

Les vitrines de l'avenue
Font un vacarme aux alentours
A faire se lever l'amour
Des fois qu'on l'vendrait aux surplus

Des pèr' Noël grandeur nature
Qui n'descend'nt plus qu' pour les parents
Pendant qu'les gosses jouent les doublures
En attendant d'avoir vingt ans
Toupie qui tourne au quart de tour
Bonbons fondants bonheur du jour
Et ces môm's qu'en ont plein les bras
A lécher la vitrin' comm' ça
Des soldats d'plomb qui font du zèle
Des poupées qui font la vaisselle
De drôl's d'oiseaux en équilibre
Pour amuser les tout petits
A l'intérieur la vente est libre
Pour ceux qui s'ennuient dans la vie

Des merveill's qu'on peut pas toucher
Devant des mecs qui peuv'nt « Entrer »

Les vitrines de l'avenue
Font un vacarme dans les yeux
A rendre aveugles tous les gueux
Des fois qu'ils en auraient trop vu

Jambon d'York garanti Villette
Des alcools avec étiquettes
Crème à raser les plus coriaces
« Où l'on m'étend le poil se lasse »
La gain' qui fond sous les caresses
Le slip qui rit le bas qu'encaisse
L'escarpin qui us' le pavé
Les parfums qui sent'nt le péché
Des falbalas pour la comtesse
Des bànd's en soie pour pas qu'ça blesse
Du chinchilla d'la toile écrue
Y faut vêtir ceux qui sont nus
Des pull-over si vrais qu'ils bêlent
Des vins si vieux qu'ils coul'nt gagas
Des décorations qu'étincellent
Devant des mecs qui n'en veul'nt pas.

Les vitrines de l'avenue
C'est mes poch's à moi quand je rêve
Et que j'y fouille à mains perdues
Des lambeaux de désirs qui lèvent

DIEU EST NEGRE

Y'avait dans la gorge à Jimmy
Tant de soleil à trois cents balles
Du blues du rêve et du whisky
Tout comm' dans les bars à Pigalle

    Dieu est nègre

C'est à la un' des quotidiens
Ça fait du tort aux diplomates
Jimmy l'a vu au p'tit matin
Avec un saxo dans les pattes

    Dieu est nègre

Ça fait un bruit dans l'monde entier
A fair' danser tous les cim'tières
Les orgu's à Saint-Germain-des-Prés
En perd'nt le souffle et la prière

    Dieu est nègre

Armstrong est r'çu chez l'Président
Il y'est allé sans sa trompette
Depuis deux jours qu'ils sont là d'dans
C'est plus du blues c'est la tempête

    Dieu est nègre

Il a de p'tits cheveux ·d'argent
Qui font au ciel comm' des nuages
Et dans sa gorge y'a du plain-chant
Comm' dans les bars au moyen âge

    Dieu est nègre

Et dans la gorge à mon Jimmy
Y'a tant d'soleil à trois cents balles
Du blues du rêve et du whisky
Tout comm' dans les bars à Pigalle

    Dieu est nègre

A l'aube grise et tout' gelée
Jimmy s'endort dans l'caniveau
En jouant d'la trompett' bouchée
Dans sa bouteill' de Jéricho

    Pauvre et maigre

LE PIANO DU PAUVRE

Le piano du pauvre
Se noue autour du cou
La chanson guimauve
Toscanini s'en fout
Mais il est pas chien
Et le lui rend bien
Il est éclectique
Sonate ou java
Concerto polka
Il aim' la musique

Le piano du pauvre
C'est l'Chopin du printemps
Sous le soleil mauve
Des lilas de Nogent
Il roucoule un brin
A ceux qui s'plais' bien
Et fait des avances
Ravel ou machin
C'est déjà la fin
Mais v'là qu'y r'commence

Le piano du pauvre
Se noue autour des reins
Sa chanson guimauve

Ça va toujours très loin
Car il n'est pas chien
Toujours il y r'vient
Il a la pratique
C'est pour ça d'ailleurs
Qu'les histoir's de cœur
Finiss'nt en musique

Le piano du pauvre
Est un joujou d'un sou
Quand l'amour se sauve
Y'a pas qu'lui qui s'en fout
Car on n'est pas chien
On le lui rend bien
On est éclectique
Jules ou bien machin
C'est déjà la fin
Mais v'là qu'on y r'pique

Le piano du pauvre
C'est pas qu'il est voyou
La chanson guimauve
On en prend tous un coup
Car on n'est pas chien
On a les moyens
Et le cœur qui plisse
Quand Paderewsky
Tir' de son étui
L'instrument d'service

Le piano du pauvre
N'a pas fini d'jacter
Sous le regard fauve
Des rupins du quartier
Pendant qu'les barbus
Du vieil Institut
Posent leurs bésicles
Pour entendre au loin
Le piano moulin
Qui leur fait l'article

Le piano du pauvre
Dans sa boîte à bobards
S'tape un air guimauve
En s'prenant pour Mozart
S'il a l'air grognon
Et joue sans façons
Des javas perverses
C'est qu'il est pas chien
Et puis qu'il faut bien
Fair' marcher l'Commerce...

L'ETE S'EN FOUT

De cette rose d'églantine
Qui pleure sous la main câline
Et qui rosit d'un peu de sang
Le blé complice de Saint-Jean
De ces yeux qui cherchent fortune
Dans le ciel con comme la lune
De ces poitrines vent debout
De Saint-Tropez à qui sait où
      L'été s'en fout

De ces cheveux qui font misaine
A la voiture américaine
De ce soleil qui tant et tant
Vous met du crêpe dans le sang
De cette sève de cactus
Qui coule au pied du Mont Vénus
De ces nuits qui n'ont pas de bout
Et qui vous pénètrent jusqu'où
      L'été s'en fout

De ce chagrin de chlorophylle
Qui se prépare loin des villes
De ce septembre paresseux
Qui se remue au coin des cieux
De cet automne adolescent

Comme une fille de quinze ans
Se défeuillant jusques au bout
Pour faire une litière au loup

L'été s'en fout

De ce galbe de la vallée
De ce mouvement des marées
De cette ligne d'horizon
Où ne rime plus la raison
De ces planètes bienheureuses
Où jase un jazz de nébuleuses
De cet ange ou de cette gouape
Enfin qui de sapin nous sape

L'été s'en tape

Léo Ferré

L'AME DU ROUQUIN

A coups d'roulis
A coups d'rouquin
Il n'est pas dit
Qu'ça fass' très bien
Moi j'm'enlumin' le genre humain
Du tiers du quart
Tout m'est égal
Mais quand l'cafard
Déball' ses mall's
Moi j'me débin' jamais trop tard

L'âme du rouquin
C'est comm' Chopin
Ça gueule un peu
Dégueule en deux
Ça va ça vient
Ça fait coup double
Et l'on s'dédouble
En deux copains
Ça fait qu'on n'est jamais tout seul
Quand on s'technicolor' la gueul'
L'âme du rouquin
C'est comm' Chopin
Suffit d'en jouer
Pour s'y bercer

Qu' j'y voye tout blanc
Ou bien rosé
Ça m'fait bon vent
Et bon gosier
Mais quand j'vois roug' ça fait jaser
Y'a du canon
Dans la contrée
Ah! nom de nom!
Quel bien ça fait
Mais quand ça boug' y'a plus d'question

L'âme du rouquin
C'est comm' le pain
Ça fait pousser
Les p'tits français
Ça va ça vient
Ça fait coup double
Et l'on s'dédouble
En moins de rien
Paraît d'ailleurs qu'on s'rait les seuls
A s'technicolorer la gueul'
Nous on s'en fout
Buvons un coup
Que chante enfin
L'âme du rouquin

MON P'TIT VOYOU

Quand tout est gris
J'en bourr'ma pipe à gamberger
D'ailleurs la vie m'a culotté.
Quand tout est gris
J'en mets partout dans ta carrée
Y'a pas d'raison qu'j'te laiss' griser
La vie, mon p'tit voyou
Ça s'dresse un point c'est tout.

Quand tout est bleu
Y'a l'permanent dans tes quinquets
Les fleurs d'amour s'fout'en bouquet
Quand tout est bleu
C'est comme un train qui tend ses bras
Y'a pas d'raison que j'te prenne pas
La vie, mon p'tit voyou
Ça s'prend par le bon bout.

Quand tout est vert
Et qu'la natur' bat ses tapis
On y'a joué tous nos habits.
Quand tout est vert
C'est comm' l'espoir qui va tout nu
On l'a fringué comme on a pu
La vie, mon p'tit voyou
Ça se vend à des prix fous.

Quand tout s'ra noir
Et qu'on fum'ra des fleurs fanées
On s'en r'pass'ra les mêm's goulées.
Quand tout s'ra noir
Les p'tits oiseaux pourront becqu'ter
Aux mots d'amour qu'on a causés
Alors, mon p'tit voyou
La vie, qu'est-c' qu'on s'en fout...

LA CHANSON TRISTE

Quand la peine bat sur ta porte close,
Donne-lui du feu pour l'amour de Dieu
Si ta flamme est morte et que tout repose
Elle s'en ira je n'ai pas fait mieux
Si ta flamme est morte et que tout repose
Elle s'en ira je n'ai pas fait mieux

Les fleurs de ma vie étaient roses blanches
Je les ai données à tous mes amis
Pour les effeuiller entre quatre planches
J'aurais bien mieux fait d'en fleurir ma vie
Pour les effeuiller entre quatre planches
J'aurais bien mieux fait d'en fleurir ma vie

J'avais des habits taillés aux nuages
J'avais des cheveux comme des drapeaux
Et flottait au vent ma crinière sage
Lors j'ai tout perdu restait que la peau
Et flottait au vent ma crinière sage
Lors j'ai tout perdu restait que la peau

Je m'en suis allé sous dix pieds d'argile
Coincé nez à nez par un ciel de bois
Et disant mes vers à mes vers dociles
Qui m'auront rimé autrement que moi

Et disant mes vers à mes vers dociles
Qui m'auront rimé autrement que moi

Quand la peine bat sur ta porte close
Donne-lui du feu pour l'amour de Dieu
Et s'embrasera la dernière rose
Que j'irai cueillir entre deux adieux
Et s'embrasera la dernière rose
Que j'irai cueillir entre deux adieux

© 1955 Nouvelles Editions Meridian

LA ZIZIQUE

Dans un vieux phono
D'Aristo
Un phono d'avant
L'magnéto
J'ai passé ma têt' de loup
Ma peau d'pilou
Et pas pour des clous
Car au beau milieu du concert
A côté d'un' valse à Schubert
Un saxo costaud
Le dièze à l'air
Montrait c'qu'il avait d'plus cher

La zizique à poil
C'est fatal
Ça colle à la peau
Mes agneaux

Et l'instrumento
Qui n'est pas manchot
Ça vous pass' la main
Sur le genre humain
En deux coups d'marteaux
V'là l'piano
Qui vous upercute
En clef d'Ut

La zizique
Ça t'agrippe
Et te pique
Tout's tes nippes.

Dans un'vieill' machine
A zinzin
Un' machine à couiner
L'refrain
J'ai laissé mon « Tchaïkowsky »
Et patati
Ma quinzaine aussi
Lorsqu'au beau milieu d'l'interview
Derrière un'romance à deux sous
Un batteur patent
Tambour battant
Battait dans mon palpitant

La zizique à poil
C'est fatal
Ça s'met dans la peau
Mes agneaux

Qu'ça soye à Pékin
Ou à Saint Glinglin
Ou bien je n'sais où
D'ailleurs on s'en fout
En deux coups d'chorus
V'là Vénus

Qui vous met l'starter
A l'envers
La zizique
Ça t'agrippe
Et te pique
Tout's tes nippes

Dans un vieux bastringue
A tanguer
A tanguer des fringues
Et des pieds
J'ai planqué « la mer calmée »
Et j'ai dansé
Sur cell' de Trénet
Lorsqu'au beau milieu d'la coda
Sans savoir comment ni pourquoi
Un fox trot trottant
trottait content
Perdant son la et son temps

La zizique à poil
Dans un bal
On n'y voit qu'la peau
Mes agneaux

Qu'la peau et les os
Qui jouent du xylo
Faut bien fair' du Tam
Tam c'est dans l'programm'

En deux coups d'gratti
V'là l'gratteur
Qui vous gratte ici
Ou ailleurs
La zizique
Ça t'agrippe
Et te pique
Tout's tes nippes

Dans un' vieill' rengaine
A rumba
Un' rengaine à gaine
Et à bas
J'ai r'trouvé mes bell's années
Cell's qu'on comptait
Qu'on comptait jamais
Lorsqu'au beau mitan d'la chanson
Derrière un accord de dix ronds
Tout s'est arrêté
J'ai tout paumé
J'peux plus finir mon couplet

La zizique à poil
C'est câlin
Mêm' si t'as qu'du poil
Dans la main

Tarazim boum boum
Ça va faire un boum

Mêm' si les frangins
Trouv'nt que j'vais pas bien
Y'a qu'un' seul' façon
Mon mignon
De trouver la fin
Du refrain
Ferme ta gueule
Ferme ta gueule
Ferme ta gueule
Ferme ta gueule.

MA VIEILLE BRANCHE

T'as des cheveux comm' des feuill's mortes
Et du chagrin dans tes ruisseaux
Et l'vent du nord qui prêt'main forte
A la mèr' pluie qu'est tout en eau
      Ma vieill' branche.

T'as des prénoms comm' des gerçures
D'azur tout gris dans tes chiffons
Et l'vent du nord et ses coutur's
Où meur'nt tranquill's les papillons
      Ma vieill' branche.

T'as l'rossignol qui t'fait des dettes
Et les yeux doux en coup d'brouillard
Ce p'tit chanteur c'est qu'un' girouette
T'as qu'a lui mett'ton vieux foulard
      Ma vieill' branche.

T'as les prés comme un chapeau d'paille
De quand l'été se f'sait tout beau
Et des guignols que l'on empaille
A fair' s'en aller tes oiseaux
      Ma vieill' branche.

T'as l'cul tout nu comm' les bell's gosses
Arrivées là pour un moment

Mais toi ma vieille il faut qu'tu bosses
Pour arriver jusqu'au printemps
    Ma vieill' branche.

T'as rien pour toi qu'un' pauv' frimousse
Un vieux sapin qui t'fait crédit
Deux trois p'tit's fleurs « va que j'te pousse »
Et puis l'hiver au bout d'ta vie...
    Ma vieill'branche d'automne.

MONSIEUR MON PASSE

J'ai dans la tête un vieux banjo
De mil neuf cent vingt cinq
Un vieux banjo qui s'grattait l'dos
Et regardant Chaplin
Dans un cinoche
Où y'avait d'la brebis
Qui s'effiloche
Dans les fouill's à sam'di
Ce banjo-là donnait le la
De mil neuf cent vingt cinq
Mais ce la là n'était plus là
Y'avait mêm' plus Chaplin
Dans l'vieux ciné
Où j'suis r'passé
Comm' les souv'nirs
Qui veul'nt rien dir'
Comm' disait rien
L' ciné muet
Qu'est comm'les chiens
Mais qui causait

Monsieur mon passé
Voulez-vous passer
J'ai comme une envie
D'oublier ma vie
Si j'avais à fair'

Ma vie à l'envers
C'est vous mon passé
Qui m'verriez r'passer

J'ai dans la tête un vieux guignol
De mil neuf cent vingt cinq
Un vieux guignol où pour deux sols
On jouait des tas d'machins
Dans un trucmuche
Où y'avait pas d'vertu
Et d'la paluche
En voilà en veux-tu
Ce vieux guignol où ma parole
En mil neuf cent vingt cinq
On f'sait joujou à l'entresol
Histoir' de prendr' du grain
A disparu
Au fond d'ma rue
Comm'disparaît
Tout mon passé
Comm'pass'nt hélas
Les vieill's passions
Pour fair' la place
A ma chanson

Monsieur mon passé
Laissez-moi passer
J'ai comme un rencard
Qui me rend bizarr'
Comm' les gens pressés

Qui veul'nt pas causer
Pour pas fair' d'histoir'
On chang'ra de trottoir

J'ai dans la tête un je n'sais plus
De mil neuf cent vingt cinq
Un je n'sais plus qui continue
A fair' tourner l'moulin
Dans l'bric à brac
Où s'fabriquent les idées
Qui font des couacs
Chaqu'fois qu'on veut s'rapp'ler
Ce je n'sais plus qui vous a plu
En mil neuf cent vingt cinq
Et qui n'est plus qu'un' fleur perdue
Parmi les tas d'chagrins
D'un vieux passé
Qu'est pas passé
Malgré l'banjo
Qui s'grattait l'dos
Et puis l'guignol
Où ma parole,
On v'nait paumer
Ses bell's années

Monsieur mon passé
Faudrait bien passer
J'ai comme une envie
D'aller fair' ma vie

Léo Ferré

Guignol ou banjo
J'te f'rai bien la peau
J'suis p'têt' qu'un' cigal'
Mais j't'emmène au bal.

© 1955 Nouvelles Editions Meridian

LES COPAINS D'LA NEUILLE

Les copains d'la Neuille
Les frangins d'la « night »
Ceux qu'ont l'portefeuille
Plus ou moins « all right »
Ceux pour qui la mouise
Ça fleurit qu'le jour
Qu'ont l'rouquin en guise
De frisson d'amour
Les copains d'cocagne
Ceux qu'ont des faffiots
Et qui font des magnes
A la Veuv' Clicquot
Ceux qui compt'nt les heures
Sur leurs patt's en v'lours
Et qu'ont un'demeure
Pour y planquer l'jour.

Les copains d'la farce
Qu'ont mêm' pas d'buffet
Pour y fout'un'garce
Ou pour y danser
Ceux qui pouss'nt la lourde
Dès minuit passé
Et qui n'ont comm'gourde
Que cell' du taulier
Les copains d'la frime

Ceux qui vend'nt le vent
A des prix minimes
Quand y'a du client
Ceux qu'ont la vie brève
Comm' la fleur des champs
Et qui viv'nt en rêve
Pour gagner du temps.

Les copains d'la dure
Ceux qui viv'nt pas cher
Mais qu'ont d'la verdure
Même en plein hiver
Ceux qui prenn'nt la lune
Pour du beaujolais
Mais qu'ont l'clair de lune
En d'ssous du gosier
Les copains d'la bise
A l'âme gercée
Et qui s'fout'nt en prise
Avec deux gorgées
Ceux qui compt'nt les heures
Sur les doigts d'la main
Et qui s'font leur beurre
Avec leur chagrin.

Les copains du soir
Les frangins d'la nuit
Ceux qui boss'nt au noir
Jusqu'au bout d'leur vie
Ceux qu'ont la vie louche

Comme un beau matin
Et qui s'cous'nt la bouche
En causant des mains
Les copains d'la neuille
Les frangins d'la nuit
Au matin s'défeuillent
De tous leurs habits
Le p'tit jour canaille
Les prend par le cou
Et puis les empaille
Comme des HIBOUX.

GRAINE D'ANANAR

La vie m'a doublé
C'est pas régulier
Pour un pauv'lézard
Qui vit par hasard
Dans la société
Mais la société
Faut pas s'en mêler
J'suis un type à part
Un' grain' d'ananar

On m'dit qu' j'ai poussé
En d'ssous d'un gibet
Où mon grand-papa
Balançait déjà
Avec un collier
Un collier tressé
De chanvre il était
Un foutu foulard
A grain'd'ananar

J'avais des copains
Qui mangeaient mon pain
Car le pain c'est fait
Pour êtr'partagé
Dans notr'société

C'est pas moi qui l'dis
Mais c'est Jésus-Christ
Un foutu bavard
A gueul' d'ananar.

Si j'avais des sous
On m'd'manderait
« Où les as-tu gagnés
Sans avoir trimé
Pour la société? »
Mais comm' j'en ai pas
Faut lui dir' pourquoi
C'est jamais peinard
La grain' d'ananar

On m'dit qu'c'est fini
J'vous l'dis comm' on l'dit
Et qu'on me pendra
Au nom de la loi
Et d'la société.
D'la bell' société
Qui s'met à s'mêler
De mettre au rancart
La grain' d'ananar

Potence d'oubli
L'oiseau fait son nid
Messieurs les corbeaux
Passeront ma peau

Léo Ferré

Comme à l'étamis
Mais auparavant
J'aurai comm' le vent
Semé quelque part
Ma grain' d'ananar.

LA FORTUNE

Si tous les crayons
que l'on vend à Paris
écrivaient des chansons
comme Monsieur Lully
Et si toutes les plumes
avaient Verlaine au bec
et chacun sa chacune
On n'vivrait plus qu'avec

la fortune
quelques thunes
deux bouquets trois chansons et la lune
Si tu rêves
ta vie brève
passera comme passent les rêves
La fortune
quelques thunes

et de quoi s'en aller dans la lune
Si tout passe
si tout casse
si tout lasse
passe
passe
Si tous les vauriens
qui n'val'nt rien à Paris

ne valaient qu'un refrain
de Villon ou de qui?
et si tout's les épines
avaient la rose avec
et copain sa copine
on n'vivrait plus qu'avec

la fortune
quelques thunes
deux saluts trois aur'voirs et la lune
Si tu chantes
ta vie lente
fil'ra comm' file une étoile filante
la fortune
quelques thunes
et de quoi fair'briller cette lune
cette lune
où s'allume
et consume
l'infortune

JAVA PARTOUT

Rien qu'des grues
qui font le pied de grue
Sur les docks ou les quais
Si t'as pas ton ticket
T'as plus qu'à t'fout'un'tringle
Pour danser
la Java des buffets
A l'endroit à l'envers
A Londr's ou bien Anvers
Pas besoin d'êtr' bilingue
Mais y'a qu'un' manière
D'causer ma chère
La monnaie

Vieux moutons d'Australie
Beau mat'las de Paris
Fil' ta laine
A Marseille à midi
Un cargo m'a souri
Pour la s'maine
Il s'en va
A Java

Dans les bars
dans les bars de Java
Les bars de Zanzibar
Ou ceux d'la rue chez moi

Léo Ferré

Y'a d'la Java qui mousse
Dans les yeux
les yeux des inconnus
Qui tanguent dans la rue
Il y'a des filles nues
Qui s'y regard'nt en douce
Mais y'a qu'un' manière
D'passer ma chère
La monnaie

Les Chin'toqu's les Ricains
Les frisés les rouquins
Fil' ta thune
A Marseill' sur le quai
Y'a un' fill' qui s'ouvrait
Sous la lune
C'est comm'ça
La Java

Rien qu' des pho
nos qui font les manchots
Dans les boît's où s'emboît'nt
En pilul's ou en watts
Les anchois d'la musique
Et ces pho
nos vrais ou faux ça va
Jusqu'au moment où ça
N'va plus car il faut d'ça
Pour fair' la mécanique
Et puis la manière

119

D'glisser ma chère
La monnaie

Vieill's rengain's fill's de paill'
Qui se prenn'nt par la taille
Et s'inversent
A Paris y'a Mimi
Qui a r'mis son pinson
Dans l'commerce
Pour jouer d'la
D'la Java
D'la Java
D'la Java

Léo Ferré

LA POESIE FOUT L'CAMP VILLON !

Tu te balances compagnon
Comme une tringle dans le vent
Et le maroufle que l'on pend
Se fout pas mal de tes chansons
Tu peux toujours t'emmitoufler
Pour la saison chez Gallimard
Tu sais qu'avec ou sans guitar'
On finit toujours sur les quais

La poésie fout l'camp Villon !
Y'a qu'du néant sous du néon
Mais tes chansons même en argot
Ont quelques siècles sur le dos

Si je parle d'une ballade
A faire avec mon vieux hibou
On me demandera jusqu'où
Je pense aller en promenade
On ne sait pas dans mon quartier
Qu'une ballade en vers français
Ça se fait sur deux sous d'papier
Et sans forcément promener

La poésie fout l'camp Villon !
Y'a qu'des bêtas sous du béton
Mais tes chansons même en argot
Ont quelques siècles sur le dos

121

En mil neuf cent cinquante et plus
De tes jug's on a les petits
Ça tient d'famille à c'que l'on dit
Ça s'fout un'robe et t'es pendu
Tu vois rien n'a tell'ment changé
A part le fait que tu n'es plus
Pour rimer les coups d'pieds au cul
Que nous ne savons plus donner

La poésie fout l'camp Villon !
Y'a qu'du néant sous du néon
Mais tes chansons même en argot
Ont quelques siècles sur le dos

Emmène-moi dedans ta nuit
Qu'est pas frangine avec la loi
« J'ordonne qu'après mon trépas »
« Ce qui est écrit soit écrit »
Y'a des corbeaux qui traîn'nt ici
Peut-être qu'ils n'ont plus de pain
Et je n'attendrai pas demain
Pour qu'ils aient un peu de ma vie

La poésie fout l'camp François !
Emmène-moi emmène-moi
Nous irons boire à Montfaucon
A la santé de la chanson.

LES QUAT' CENTS COUPS

S'il faut tirer par tous les bouts
Copains tirons les quat' cents coups

Sonner à la porte du diable
Comme on sonnerait le pasteur
Être le treizième à sa table
Mêm' si ça doit porter bonheur
Ouvrir le bottin des misères
A la page quatre-vingt-neuf
Dire à Monsieur de Robespierre
Faites-nous des habits tout neufs.

S'il faut tirer par tous les bouts
Copains tirons les quat' cents coups

Téléphoner à la Grande Ourse
Pour y louer un appartement
Et comme il faudra fair'nos courses
Mettre des rails au firmament
Pousser des ail's à nos épaules
Et s'enrôler dans l'armée d'l'air
Lâcher d'en haut des « Carmagnoles »
Et des paras sur le tonnerre.

S'il faut tirer par tous les bouts
Copains tirons les quat' cents coups

Ramasser les habits qui traînent
Sous les potences de la loi
Chacun sait qu'avec ou sans laine
Un pendu ça meurt pas de froid
En tresser des cordes nouvelles
Pour encorder d'autres gibets
Ceux qui préfèrent la dentelle
Seront pendus sans êt' brodés.

S'il faut tirer par tous les bouts
Copains tirons les quat' cents coups

Donner aux brebis des bergères
Aux chevaux des maquignons frais
Aux chiens les flics de la fourrière
Aux baleines les baleiniers
Aux oiseaux le permis de chasse
Aux enfants les parents mineurs
Aux souris le matou d'en face
Aux matous les toits du bonheur.

S'il faut tirer par tous les bouts
Copains tirons les quat' cents coups

Faire en tortue le tour de France
Lire le ciel à livre ouvert
Faucher le vert à l'espérance
Pour en vêtir tous nos hivers
Aller camper au Pèr' Lachaise
Avec nos lampe(s) à feux follets

Léo Ferré

Et lire aux copains de la glaise
Les évangile(s) en javanais.

S'il faut tirer par tous les bouts
Copains tirons les quat' cents coups

Aller au cinéma palace
Et s'engouffrer dedans l'écran
Prendre Bardot par la tignasse
Et la carrer dans nos divans
Faire l'amour à l'algébrique
Avec les inconnues du coin
Et d'un triangle nostalgique
Fair' des petits républicains

S'il faut tirer par tous les bouts
Copains tirons les quat' cents coups

Unir en chœur tous les poètes
Tous ceux qui parl'nt avec des mots
Leur commander des chansonnettes
Qu'on déduira de leurs impôts
Mettre un bicorne à la romance
Et la mener à l'Institut
Avec des orgu's et « que ça danse... »
La poésie est dans la rue.

S'il faut tirer par tous les bouts
Amis tirons les quat' cents coups.

LA FAIM

La faim
quand ça m'prenait
maint'nant ça va
du moins j'le crois
La faim
ça m'connaissait
car elle et moi
c'était comm'ça
La faim
faut y penser
de temps en temps
ça fait les dents
comm'chez les bêtes
féroces
ça coupe la noce
Ça fait penser
moi j'ai dîné
pas mal et toi
les aut's j'm'en fous
Et gamberger
quel est ce chien
qui m'tend les mains
et ses yeux doux.
La faim
y'en a pour qui
ça va toujours
c'est comm'l'amour
La faim

y'en a pour qui
ça va jamais
toujours complet
La faim
y'en a pour qui
les vieux croûtons
c'est encor' bon
comm'la romaine
ça gonfle
ça coupe la s'maine
Dans l'estomac
ça nage un peu
ça fait c'qu'on peut
ça bouch'les trous
Et dans l'taff'tas
ça serre un peu
un cran mon vieux
faut joind'les bouts.
La faim
quand par hasard
y'en a pour deux
ça fait causer
La faim
pour les bavards
c'est pas c'qu'y'a d'mieux
mais ça distrait
La faim
jamais en r'tard
cett'souris-là
n'attend mêm'pas

que tu la sonnes
ell' trône
superbe matrone
Elle a son chic
les yeux cernés
du fil de soie
dans les tibias
Même en musique
elle fait jeûner
c'te cigal'-là
depuis des mois

La faim
y'en a qui dis'nt
qu'elle est fauchée
mais c'est pas vrai
La faim
ça a toujours
deux trois p'tits tours
dans son panier
La faim
quand t'as trimé
des tas d'années
dans sa carrée
donne un pourboire
un' poire
pour
la
SOIF.

LA GUEUSE

T'as ton fichu
Qu'est tout fichu
La gueuse
Ton bonnet
Tout délavé
Ton cœur qui bat pour le malheur
C'est pas l'moment de t'faire un'fleur
La gueuse
C'est des soldats qui t'ont fait ça
Pourtant ça sait pas fair' du charme
Mêm' que plutôt ça f'rait des larmes
Avec des mitrailleuses
La gueuse

Y'a l'pèr'Danton
Dans la région
La gueuse
Y s'est r'tourné
Dans son panier
A croir' qu'un'têt'dans un tas d'son
Ça fait penser dans la nation
La gueuse
Pour des soldats t'as fait tout ça
Moi qui croyais qu't'étais en forme
Et v'là qu'tu fais les uniform's
Comme un' pâl' travailleuse

129

La gueuse
Dans tes beaux yeux
Maint'nant il pleut
La gueuse
Y'a des clairons
Dans les chansons
A croir' que pour mieux l'égorger
Un p'tit mouton ça doit chanter
La gueuse
Mais le soldat qui t'a fait ça
Finira dans un livre au large
Avec du soleil dans la marge
Et puis toi en veilleuse
La gueuse

Ah ça ira
Tu connais ça
La gueuse
Même que Louis
Y'était parti
Sur cett'machine à fair'des ronds
Un rond dans sa réputation
La gueuse
Si tu r'venais on s'arrang'rait
Si tu r'viens pas on s'dérang'ra
Comm' des marlous qui n'admett'nt pas
Qu'on leur prenne leur gueuse
Leur gueuse.

LA POISSE

Si par hasard
Dans un placard
Tu piqu's la guigne
Sois pas manchot
Planqu's tes ballots
A la consigne
Si des gitans
Un jour lisant
Dans tes mains pâles
Ont vu l'printemps
Machinal'ment
Se fair' la malle
Cherche pas
C'est à caus' de la poisse,
La poisse, la poisse, la poisse.

Si par hasard
Tu pars peinard
Pour les Antilles
Cousu d'pognon
Chaussé d'vison
Ou d'espadrilles
Que t'aies quitté
Au bout du quai
Tes vieill's misères
Et qu'en oiseau

Ou en bateau
Tu t'fass's la paire
T'en fais pas
T'auras toujours la poisse,
La poisse, la poisse, la poisse.

Si par hasard
Dans un bazar
Tu piqu's la poisse
Chang' de trottoir
Et va-t'en voir
C'qui s'passe en face
Comme au poker
Si t'as qu'un' paire
Qui vaut qu'dix balles
Attends l'gros lot
Fous pas au pot
Ta bonne étoile
N'oublie pas,
On fréquent'pas la poisse,
La poisse, la poisse, la poisse.

Si par hasard
Si par hasard
Ta vieille guitar'
Jouait plus en m'sure
Et si l'bon Dieu
Fermait tes yeux
A la nature
Si ton contrat

S'arrêtait là
Et qu'tu voyages
Pour ce pays
Où comme on dit
Y'a plus d'bagages
T'en fais pas
Tu n'aurais plus la poisse,
La poisse, la poisse, la poisse.

JOLIE MOME

1

T'es tout' nue
Sous ton pull
Y'a la rue
Qu'est maboul'

Jolie môme

T'as ton cœur
A ton cou
Et l'bonheur
Par en d'ssous

Jolie môme

T'as l'rimmel
Qui fout l'camp
C'est l'dégel
Des amants

Jolie môme

Ta prairie
Ça sent bon
Fais-en-don
Aux amis

Jolie môme

T'es qu'un'fleur
Du printemps
Qui s'fout d'l'heure
Et du temps
T'es qu'un'rose
Éclatée
Que l'on pose
À côté

Jolie môme

T'es qu'un brin
De soleil
Dans l'chagrin
Du réveil
T'es qu'un'vamp
Qu'on éteint
Comme un'lamp'
Au matin

Jolie môme

2

Tes baisers
Sont pointus
Comme un ac-
cent aigu

Jolie môme

Tes p'tits seins
Sont du jour
A la coque
A l'amour

Jolie môme

Ta barrièr'
De frou-frous
Faut s'la faire
Mais c'est doux

Jolie môme

Ta violette
Est l'violon
Qu'on violente
Et c'est bon

Jolie môme

T'es qu'un'fleur
De pass'temps
Qui s'fout d'l'heure
Et du temps
T'es qu'un' é
Toil' d'amour
Qu'on entoile
Aux beaux jours

Jolie môme

T'es qu'un point
Sur les « i »
Du chagrin
De la vie
Et qu'un' chos'
De la vie
Qu'on arros'
Qu'on oublie

Jolie môme

3

T'as qu'un' pair'
De mirett's
Au poker
Des conquêt's

Jolie môme

T'as qu'un' rime
Au bonheur
Faut qu'ça rime
Ou qu'ça pleure

Jolie môme

T'as qu'un' source
Au milieu

qu'éclabouss'
Du bon dieu

Jolie môme

T'as qu'un'porte
En voil' blanc
Que l'on pousse
En chantant

Jolie môme

T'es qu'un' pauv'
Petit' fleur
Qu'on guimauv'
Et qui meurt
T'es qu'un'femme
A r'passer
Quand son âme
Est froissée

Jolie môme

T'es qu'un' feuill'
De l'automne
Qu'on effeuill'
Monoton'
T'es qu'un' joie
En allée
Viens chez moi
La r'trouver

Jolie môme

T'es tout'nue
Sous ton pull
Y'a la rue
Qu'est maboul'

JOLIE MOME

© 1961 Nouvelles Editions Meridian

LES POETES

Ce sont de drôl's de typ's qui vivent de leur plume
Ou qui ne vivent pas c'est selon la saison
Ce sont de drôl's de typ's qui traversent la brume
Avec des pas d'oiseaux sous l'aile des chansons

Leur âme est en carafe sous les ponts de la Seine
Leurs sous dans les bouquins qu'ils n'ont jamais vendus
Leur femme est quelque part au bout d'une rengaine
Qui nous parle d'amour et de fruit défendu

Ils mettent des couleurs sur le gris des pavés
Quand ils marchent dessus ils se croient sur la mer
Ils mettent des rubans autour de l'alphabet
Et sortent dans la rue leurs mots pour prendre l'air

Ils ont des chiens parfois compagnons de misère
Et qui lèchent leurs mains de plume et d'amitié
Avec dans le museau la fidèle lumière
Qui les conduit vers les pays d'absurdité

Ce sont de drôl's de typ's qui regardent les fleurs
Et qui voient dans leurs plis des sourires de femme
Ce sont de drôl's de typ's qui chantent le malheur
Sur les pianos du cœur et les violons de l'âme

Leurs bras tout déplumés se souviennent des ailes
Que la littérature accrochera plus tard

A leur spectre gelé au-dessus des poubelles
Où remourront leurs vers comme un effet de l'Art

Ils marchent dans l'azur la tête dans les villes
Et savent s'arrêter pour bénir les chevaux
Ils marchent dans l'horreur la tête dans des îles
Où n'abordent jamais les âmes des bourreaux

Ils ont des paradis que l'on dit d'artifice
Et l'on met en prison leurs quatrains de dix sous
Comme si l'on mettait aux fers un édifice
Sous prétexte que les bourgeois sont dans l'égout...

THANK YOU SATAN

Pour la flamme que tu allumes
Au creux d'un lit pauvre ou rupin
Pour le plaisir qui s'y consume
Dans la toile ou dans le satin
Pour les enfants que tu ranimes
Au fond des dortoirs chérubins
Pour leurs pétales anonymes
Comme la rose du matin

Thank you Satan.

Pour le voleur que tu recouvres
De ton chandail tendre et rouquin
Pour les portes que tu lui ouvres
Sur la tanière des rupins
Pour le condamné que tu veilles
A l'Abbaye du monte en l'air
Pour le rhum que tu lui conseilles
Et le mégot que tu lui sers

Thank you Satan.

Pour les étoiles que tu sèmes
Dans le remords des assassins
Et pour ce cœur qui bat quand même
Dans la poitrine des putains

Pour les idées que tu maquilles
Dans la tête des citoyens
Pour la prise de la Bastille
Même si ça ne sert à rien

Thank you Satan.

Pour le prêtre qui s'exaspère
A retrouver le doux agneau
Pour le pinard élémentaire
Qu'il prend pour du Château Margaux
Pour l'anarchiste à qui tu donnes
Les deux couleurs de ton pays
Le roug(e) pour naître à Barcelone
Le noir pour mourir à Paris

Thank you Satan.

Pour la sépulture anonyme
Que tu fis à Monsieur Mozart
Sans croix, ni rien, sauf pour la frime,
Un chien, croquemort du hasard,
Pour les poètes que tu glisses
Au chevet des adolescents
Quand poussent dans l'ombre complice
Des fleurs du mal de dix-sept ans

Thank you Satan.

Pour le péché que tu fais naître
Au sein des plus raides vertus

Et pour l'ennui qui va paraître
Au coin des lits où tu n'es plus
Pour les ballots que tu fais paître
Dans le pré comme des moutons
Pour ton honneur à ne paraître
Jamais à la télévision

Thank you Satan.

Pour tout cela et plus encor
Pour la solitude des rois
Le rire des têtes de morts
Le moyen de tourner la loi
Et qu'on ne me fasse point taire
Et que je chante pour ton bien
Dans ce monde où les muselières
Ne sont pas faites pour les chiens...

Thank you Satan !

© 1961 Nouvelles Editions Meridian

SI TU T'EN VAS

Si tu t'en vas
Si tu t'en vas un jour
Tu m'oublieras
Les paroles d'amour
Ça voyag' pas
Si tu t'en vas
La mer viendra toujours vers le rivage
Les fleurs sauvages
Dans les blés lourds
Viendront toujours...

Si tu t'en vas
Si tu t'en vas un jour
Tu m'oublieras
Les blessures d'amour
Ne s'ouvrent pas
Si tu t'en vas
La source ira toujours grossir le fleuve
Les amours neuves
Vers les beaux jours...
Iront toujours

Si tu t'en vas
Si tu t'en vas un jour
Tout finira
Les choses de l'amour

Ne vivent pas
Si tu t'en vas
La mort vaincra toujours la fleur de l'âge
C'est son ouvrage
Malgré l'amour
Qui meurt toujours...

Si tu t'en vas
Si tu t'en vas un jour
Rappelle-toi
Les paroles d'amour
Ne s'envol'nt pas
Si tu t'en vas
Au-delà de la vie vers la lumière
Où les prières
N'arrivent plus
Ell's sont perdues...

Si tu t'en vas
Si tu t'en vas un jour
Dans ces coins-là
Nous parlerons d'amour
comme autrefois...

Si c'est possible !

LA VIE EST LOUCHE

1

La vie est louche
Les femm's se couchent
toutes les nuits
la vie est brève
les femm's se lèvent
et font leur lit
la radio gronde
entre les ondes
les oiseaux glissent
dans le soir lisse
les feuilles tombent
droit à leur tombe
les choses cassent
comme la glace...

L'âme s'enrhume
sous l'amertume
des vieux projets
le cœur radote
sous les bank-notes
trop bien rangées
les portes claquent
comme des claques
les années rongent

les plus beaux songes
la vie est belle
les hommes bêlent
la vie est douce
les enfants poussent...

2

La vie est louche
les femm's découchent
à petits pas
la vie est brève
les femm's se lèvent
ou se lèv'nt pas
la télé guide
les yeux candides
l'or vagabonde
autour du monde
les journaux mentent
comme les rentes
les roses meurent
comme les heures...

L'âme dételé
et d'un coup d'aile
va qui sait où?
le cœur s'engage
au bas des pages
d'un billet doux
la mer remonte

comme la honte
et sur la plage
met son visage
au bord des houles
qui vont qui ourlent
toute une liste
de poissons tristes...

3

La vie est louche
les hommes louchent
sur qui sur quoi?
la vie est brève
et le blé lève
malgré tout ça
l'œil s'interroge
dessous l'horloge
la page blanche
sous la main flanche
la neige aiguise
son froid de bise
la mort se traîne
le long des veines...

L'âme des choses
nous indispose
l'arbre se plaint
le cœur des bêtes
dans l'ombre guette

149

des assassins
la nuit s'isole
et dégringole
la lune obscène
à l'avant-scène
fait la retape
et puis se tape
l'ombre qui rime
avec la FRIME...

T'ES ROCK, COCO !

Avec nos pieds chaussés de sang
Avec nos mains clouées aux portes
Et nos yeux qui n'ont que des dents
Comme les femmes qui sont mortes
Avec nos poumons de Camel
Avec nos bouches-sparadrap
Et nos femmes qu'on monte au ciel
Dans nos ascenseurs-pyjamas

t'es Rock, Coco ! t'es Rock !

Avec nos morales bâtardes
Filles d'un Christ millésimé
Et d'un almanach où s'attarde
Notre millénaire attardé
Et puis nos fauteuils désossés
Portant nos viandes avec os
Et la chanson des trépassés
Des jours de gloire de nos boss

t'es Rock, Coco ! t'es Rock !

Avec nos oreilles au mur
Avec nos langues polyglottes
Qui magnétophonisent sur
Tous les tons et toutes les bottes

Avec nos pelisses nylon
Qui font s'attrister les panthères
Dans les vitrines du Gabon
Leur peau pressentant la rombière

t'es Rock, Coco! t'es Rock!

AVEC NOS JOURNAUX-PANSEMENTS
Qui sèchent les plaies prolétaires
Et les cadavres de romans
Que les Goncourt vermifugèrent
Avec la société bidon
Qui s'anonymise et prospère
Et puis la rage au pantalon
Qui fait des soldats pour la guerre.

t'es Rock, Coco! t'es Rock!

. . . .
Cela dit en vers de huit pieds
A seule fin de prendre date
Je lâche mon humanité
ET JE M'EN VAIS A QUATRE PATTES

L'ART D'AIMER

on s'aim'ra cet automne
quand ça fum' que du blond
quand sonne à la Sorbonne
l'heure de la leçon
quand les oiseaux frileux
se prennent par la taille
et qu'il fait encor bleu
dans le ciel en bataille

on s'aim'ra
pour un quignon d'soleil
qui s'étire pareil
au feu d'un feu de bois
on s'aim'ra
pour des feuilles mourant
sous l'œil indifférent
de Monseigneur le Froid

on s'aim'ra cet hiver
quand la terre est peignée
quand s'est tu le concert
des oiseaux envolés
quand le ciel est si bas
qu'on l'croit au rez d'chaussée
et qu'le temps des lilas
n'est pas prêt d'êt' chanté

on s'aim'ra
pour un manteau pelé
par les ciseaux gelés
du tailleur des frimas
on s'aim'ra
pour la boule de gui
que l'an neuf à minuit
a roulé(e) sous nos pas

on s'aim'ra ce printemps
quand les soucis guignols
dansent le french cancan
au son du rossignol
quand le chignon d'hiver
de la terre endormie
se défait pour refaire
l'amour avec la vie

on s'aim'ra
pour un tapis tout vert
où comm' les fill's de l'air
les abeill's vont jouer
on s'aim'ra
pour ces bourgeons d'amour
qui allong(ent) aux beaux jours
les bras de la forêt

on s'aim'ra cet été
quand la mer est partie
quand le sable est tout prêt

pour qu'on s'y crucifie
quand l'œil jaune du ciel
nous regarde et qu'c'est bon
et qu'il coule du miel
de ses larmes de plomb

on s'aim'ra
pour une vague bleue
qui fait tout ce qu'on veut
qui marche sur le dos
on s'aim'ra
pour le sel et le pré
de la plage râpée
où dorment des corbeaux

OU DORMENT DES CORBEAUX

CHANSON POUR ELLE

si ton corps était de fine dentelle
je le broderais par les quatre bouts
et puis m'en ferais des nappes si belles
que nous mangerions l'amour à genoux

si tes yeux étaient de vieilles étoiles
de celles qu'on voit mais qui ne sont plus
j'y regarderais derrière la toile
de ce grand tableau de bleu suspendu

si tes cheveux fous étaient la misaine
et que de ton cœur je fisse un bateau
tout en remontant le cours de la Seine
tu serais Paris et moi matelot

si ton astre noir où je m'illumine
était le calice et si j'étais Dieu
j'y boirais la Mort jusqu'à la racine
et puis m'en irais refaire les cieux

si les soleils morts des plaines célestes
descendaient un jour dans ton corps éteint
il luirait encore à tes seins modestes
un peu de leur flamme un peu de ma faim

un peu de leur flamme un peu de ma faim...

ÇA T'VA

tu n'vas jamais aux collections
tu préfèr's mett' tes sous à plat
pour t'acheter un' bell' maison
drapée par les Dior du gothique
mais comme on va pas cul tout nu
et puis qu'd'abord moi j'voudrais pas
tu t'sap(es) chez l'couturier d'ton cru
qu'a des harnais démocratiques

ça t'va
cett'rob' de dix sacs
tes cheveux en vrac
ce rien qui t'habille

ça t'va
tes souliers pointus
mêm' s'ils sont fichus
ça flatt' tes gambilles

ça t'va
ce sac en lézard
qui fait le lézard
sous ses airs plastiques

ça t'va
cet air sans façon
dont t'as pris mon nom
pour viv' de musique

157

tu n'vas jamais chez Rubinstein
qu'a d'la frimousse en comprimé
qui pour deux plomb's vous met en scène
la gueul' des dam's pour la parade
et quand tu sors chez les snobards
et que j'te d'mand' si t'es parée
tu m'dis avec ton air anar :
« moi j'ai l'soleil sur la façade... »

ça t'va
cett' gueul' de dix ronds
malgré c'que diront
les cons d'photographes

ça t'va
ce dos qui descend
sous l'œil indécent
des gars qui te gaffent

ça t'va
tes carreaux mouillés
quand ils ont r'gardé
la joie qui s'défoule

ça t'va
tes mains tout's comm' ça
par ce je n'sais quoi
qui fait les mèr's poules

tu n'vas jamais aux collections
tu préfèr's coudre un peu d'bonheur

dans not'carrée et fair' ton rond
loin des ballots et d'leur système
t'es là jusqu'à la fin des temps
à m'écrir' le courrier du cœur
tu m'lâch's tout just' pour que j'aie l'temps
d'fair' un' chanson et dir' que j' t'aime

ça m'va
ta prison dorée
ta bouche adorée
en guis' de serrure

ça m'va
tes plats mijotés
tell'ment qu'on dirait
manger d'la luxure

ça m'va
ton air bienheureux
qu'ont les amoureux
qui restent fidèles

ça m'va
qu'on puiss' dire un jour
« et quant à l'AMOUR
IL N'A AIME QU'ELLE... »

L'AMOUR

Quand y'a la mer et puis les ch'vaux
Qui font des tours comme au ciné
Mais qu'dans tes bras c'est bien plus beau
Quand y'a la mer et puis les ch'vaux

Quand la raison n'a plus raison
Et qu'nos yeux jouent à s'renverser
Et qu'on n'sait plus où est l'patron
Quand la raison n'a plus raison

Quand on rat'rait la fin du monde
Et qu'on vendrait l'éternité
Pour cette éternelle seconde
Quand on rat'rait la fin du monde

Quand le diable nous voit pâlir
Quand y'a plus moyen d'dessiner
La fleur d'amour qui va s'ouvrir
Quand le diable nous voit pâlir

Quand la machine a démarré
Quand on n'sait plus bien où l'on est
Et qu'on attend c'qui va s'passer

...je t'aime !

Léo Ferré

OU VONT-ILS

Où vont-ils ces chevaux de la glace et des morts
Peut-être en Australie où les moutons délainent
Peut-être dans la rue voisine où plient les gaines
   Des putes cousues d'or

Où vont-ils hennissant leurs lugubres chansons
A la radio? sous un pick up pleurer misére
Dans une galerie où s'abstrait la lumière
   En algèbre cochon

Où vont-ils ces marcheurs ceints de cuir et de foin
A leurs naseaux le syndicat a mis des grilles
Pour filtrer les odeurs qui montent des bastilles
   Et chanteront demain

Où vont-ils ces yeux fous que le fleuve renvoie
Où vont-ils ces chalands achalandés de rives
Notre Dame en passant leur file de l'ogive
   A croquer pour des mois

Où vont-ils ces chevaux de la glace et des morts
Peut-être à Montparnasse où Baudelaire jazze
Entre deux pissenlits les roses de la gaze
   Quand Paris brume et dort

Où vont-ils les filous qui fricfraquent le ciel
Et font des ronds dans l'eau quand le flic les regarde

161

6

Peut-être à quelque soie peut-être à quelque harde
      Ou cailler à l'hôtel

Où vont-ils ces chagrins roulant en Cadillac
Où vont-ils ces bijoux que les femmes bazardent
Aux larmes des bougies quand le peuple bavarde
      En dentelle ou en frac

Où vont-ils hennissant leurs lugubres chansons
Ces chevaux de Marly qui dévorent la brume
Peut-être à quelque rendez-vous sur le bitume
      A piaffer d'occasion

Écrits en Normandie en l'an cinquante neuf
Ces vers ne sortiront jamais de leur césure
Et la rime leur fait la gueule et l'envergure
      D'une pomme pont neuf

POÈMES

Écoute-moi, listen, ascolta me Lazare
Quand les pendules sonneront leurs voix stellaires
Et que les boulevards traîneront plus par terre
Tu pourras te lever dans ce siècle bizarre

Des flûtes fantaisies brochées sous la dorure
Te joueront du pain frais à tes yeux millénaires
Et tu regarderas se gonfler la misère
Que j'ai mis à tremper dans un lac de levure

Socialement je vous le dis nous on déborde
L'ursse a fait des petits dans les ventres lactés
Et la chienne là-haut ne se sent plus pisser
Dans le chanvre trop mûr ne poussent plus les cordes

Place de la Concorde à Paris l'Obélisque
C'est pas du provençal c'est une langue morte
Et l'Algérie est-c' que tu crois que je la porte
Autrement qu'à Sakiet sur des tombeaux sans risque

....

Moi qui vendais des Paris-Soir à Babylone
Quand les avions à réaction avaient des plumes
Et gueulaient des chants doux comme un concert de brume
Sur cet Orient avec leurs gorges microphones

En ce temps là d'imberbes
J'avais à mon pubis les cheveux de Samson
De la pénicilline au revers du cal'çon
Pour m'en aller sur l'herbe

Dix brunes cent rouquines
Et quat'cents coups dans leurs dentelles
Mon choral dans leur creux comme une chanterelle
J'étais gars j'étais gwine

Et toi ?   Moi l'hermachose
Je me reracontais des chagrins de Bastille
La quille dans les yeux le droit des gens au prose
Et le droit de triquer même si l'on est fille

Dans les rues à New York il paraît que ça rentre
Dès que l'ombre a baissé les yeux des gratte-ciel
Il se gratte des ciels pas plus hauts que des ventres
Et s'échappent des cris qui se figent tels quels

Je vous le dis Lazare habillez vous en tweed
Vos habits de la morgue ont la pâleur des anges...

....

Tant que j'aurai le souffle et l'encre dans ma rue
Et que le vent du Nord ouvrira mes éponges
Il règnera chez moi comme une mer têtue
Qui me tiendra la main à la marée des songes

Qui dira la passion du Corton à la messe ?
Cette rouge chanson plus rouge que le sang

Qui dira la virginité de nos caresses
Quand il y passerait Jésus entre nos dents?

Rien n'est beau qu'un matin laïc dans la brume
Alors que le soleil est encor au dortoir
Et que la gaze dans la plaine se consume
Comme un rictus d'encens quand s'ébroue l'encensoir

Je suis mortel comme une figue provençale
A cela près qu'on ne pèle que mes chansons

Je vis, dès aujourd'hui je suis mort dans la cire
Ma voix microsillonne une terre ignorée
On me lit n'importe où à l'heure du délire
A l'ombre d'un juk box où bourgeonnent des fées

Dans l'azur en prison vautré sous la mémoire
Maldoror d'une main et Sade dans le froc
Je suis en or galvanoplaste et je m'égare
Sous la tête diamant d'un phonographe toc

Ma voix dans quelque temps sous la lune en plastique
Quand ma carcasse présumée aura fâné
Et que des Roméo sur les places publiques
Tendront complaisamment leur perche aux chats nichés

Ma voix les bercera dans des berceaux de passe
Niche-toi mon copain et perches-y ton bouc

Moi le berger perdu qui renifle la trace
De mes brebis rasées de frais pour le new look

La vie est un chaland où meurent des rengaines
Les larmes sont les flots la peine le roulis
Quelquefois le bonheur invente des misaines
A ce raffiot qui s'envoilure alors et plie

LES CHANTS DE LA FUREUR

Chant 1
(extraits)

GUESCLIN

....

tous ces varechs me jazzent (*) tant
que j'en ai mal aux symphonies
sur l'avenue bleue du jusant
mon appareil mon accalmie
ma veste verte de vert d'eau
ouverte à peine vers Jersey
me gerce l'âme et le carreau
que la Pépée a dérouillé
laisse passer de ce noroît
à peine un peu d'embrun de sel
je ne sais rien de ce qu'on croit
je me crois sur le Pont de Kehl
et vois des hommes vert-de-gris
qui font la queue dans la mémoire
de ces pierres quand à midi
leur descend comme France-Soir

(*) Prononcer : Djazzent.

la lumière du Monsignor
tout à la nuit tout à la boue
je mets du bleu dans le décor
et ma Polaire fait la moue
j'ai la leucémie dans la marge
et je m'endors sur des brisants
quand mousse la crème du large
que l'on donne aux marins enfants
quand je me glisse dans le texte
la vague me prend tout mon sang
je couche alors sous un prétexte
que j'adultère vaguement
je suis le sexe de la mer
qu'un peu de brume désavoue
j'ouvre mon phare et j'y vois clair
je fais du Wonder à la proue
les coquillages figurants
sous les sunlights cassés liquides
jouent de la castagnette tant
qu'on dirait l'Espagne livide
je fais les bars américains
et je mets les squales en laisse
des chiens aboient dessous Guesclin
ils me laisseront leur adresse
je suis triste comme un paquet
sémaphorant à la consigne
quand donnera-t-on le ticket
à cet employé de la guigne
pour que je parte dans l'hiver
mon drap bleu collant à ma peau

manger du toc sous les feux verts
que la mer allume sous l'eau
avec les yeux d'habitants louches
qui nagent dur dedans l'espoir
beaux yeux de nuit comme des bouches
qui regardent des baisers noirs
avec mon encre waterman
je suis un marin d'algue douce
la mort est comme un policeman
qui passe sa vie à mes trousses
je lis les nouvelles au sec
avec un blanc de blanc dans l'arbre
et le journal pâlit avec
monsieur Lévybref sur le marbre
j'ai du bardot dans mon ciré
la bégum aussi me bégale
et soraya s'en vient mouiller
son chalutier sous mon bengale
je danse ce soir sur le quai
une rumba toujours cubaine
ça n'est plus messieurs les anglais
qui tirent leur coup Capitaine
le crépuscule des atouts
descend de plus en plus vers l'ouest
quand le général a la toux
c'est nous qui toussons sur un geste
le tyran tire et le mort meurt
le pape fait l'œcuménique
avec des mîtres de malheur
chaussant des binettes de bique

je prendrai le train de marée
avec le rêve de service
à dix-neuf heures GMT
vers l'horizon qui pain d'épice
O boys du tort et du malheur
O beaux gamins des revoyures
nous nous reverrons sous les fleurs
qui là-bas poussent des augures
les fleurs vertes des pénardos
les fleurs mauves de la régale
et puis les noires de ces boss
qui prennent vos corps pour un châle
nous irons sonner le Breton
au quarante-deux rue Fontaine
réveille-toi Dédé-façons
c'est Benjamin qui se ramène
oui c'est Péret moi le filou
le glob'trotteur des Mayas tristes
ferme ton bistre et viens chez nous
à Guesclin je suis sur la liste
reprends tes vingt berges veux-tu?
laisse un peu palabrer les autres
à trop parler on meurt sais-tu?
y'a pas plus con que les apôtres
de la glaise où tu m'as laissé
à Clichy comme un bout d'automne
je sais que jamais je n'irai
fumer les cours de la Sorbonne
mais je suis gras comme l'hiver
comme un hiver surréaliste

avec la rime au bout du vers
cassant la graine d'un artiste
à bientôt Dédé à bientôt
ici quelquefois tu me manques
viens je serai ton mort gâteau
je serai ton Péret de planque

....

28 octobre 62.

PROSES

LE STYLE

(fragment)

J'étais dans le cabinet des métaphores, la loupe à l'œil, à regarder dans le mécanisme compliqué du style. Le style c'était une invention de l'âme pour distraire l'esthète que j'étais. Je trouvais du style à tout et préfigurais même une télévision odorante, une télévision à diriger l'économie olfactive. Nous y arrivons, patience !

Le style c'est cette partie du beau qui s'analyse, dans le repos, quand le spectacle flanche. C'est un arrêt dans la culture, pour mieux goûter. Le style c'est cette dame qui descendait l'autre matin les Champs-Elysées, plantée sur des aiguilles et dont le balancement se ressentait de cette position perchée et voulue telle. C'est ainsi que déambulent les hommes efféminés, me disais-je. Le style c'était la « femme », bateau à voile dérivant parmi le foule, tout envergué de chair gonflée et de prescience, l'œil en vigie à scruter le pirate. Le faux, la basse imitation gisait dans mon for intérieur quand j'échangeais les sexes. Le style meurt d'une intention frauduleuse. Le style c'est une prison dans un champ libre. C'est le bâillon du superflu.

La poésie est une fureur qui se contient juste le temps qu'il faut, pendant que se bande l'arc, là, au milieu de la

172

flèche. Elle doit respirer, elle s'étire d'aise et puis s'en va vers sa destination.

J'avais la phrase dans les mains, comme une grenade avant l'éclatement. Eh bien, je lancerai des mots, dans la foule, au hasard, et les livres ne seront plus de mise. On lancera la poésie, avec les mains, avec des caractères gutturaux, — du romain de glotte — : des cris jetés comme des paquets parleurs à la face de la commodité et du confort plastifié.

J'étais au milieu de la rue. J'étais aussi là-haut, aux fenêtres, entre la vitre et l'univers clos de l'inconnu et du possible, comme un store, et je mesurais de là, l'étendue, la forme, les cris de la ville : les murs à la verticale de la chaussée, autant de jambes prometteuses de « bonnes confitures », murs de nylon, murs de gaines, murs des slips, des moutardes, des consommés à légumes déshydratés, mur des lignes d'aviation comme des bras d'oiseaux à la limite du mur voisin où il n'y a plus de mur mais un montant de ciment et une porte. La porte.

Je finirai bien par le trouver ce style de l'invective. J'ai le papier qu'il faut, et l'encre aussi. J'attends.

Les idées sont dans l'homme, toutes. La difficulté c'est tout simplement de les contenir. J'ai en moi un commissariat de police des idées. Il ne chôme jamais : de jour et de nuit, on travaille. Actuellement mes idées sont en Bretagne, près d'une tombe, mes idées ont pris le deuil de mon chien Arkel. Quand elles rentreront je leur demanderai des comptes. Les idées qui se promènent dans la rue sont souvent miennes. Si vous les trouvez, téléphonez à Odéon 84-00. Elles me ressemblent : des idées de chansons, des idées de meurtre, qui sait ? Les chevaux, dans la rue, qui ramassent mes idées et qui me les rendent sont des sages. Avec des idées d'homme ils ne trouvent subitement plus aucun goût à l'avoine et ne comprennent plus. Quelque chose de très important est enrayé dans leur mécanique. Ils sont malades.

J'étais quelquefois tout près de convaincre les imbéciles que la révolte est plus facile à agripper souvent qu'il est au fond facile à l'automobiliste de brûler un feu rouge à condition de bien regarder ce qui se passe à droite, à gauche, en face, derrière et qui n'en est pas à une contravention près.

La révolte est sur le buffet, comme une monnaie d'or : il suffit de se hisser un peu sur les pieds. La révolte c'est tout de même une idée qui est à la portée de vos mains.

Les mains giflent, les mains caressent ; les mains tuent, les mains travaillent. La révolte est manuelle, hommes radio-téléguidés ! Elle est votre *lot*. Le jour où vous comprendrez l'importance de vos *mains*, ce jour-là vous serez riches et vous ne ferez plus la guerre en Australasie... Il y a toujours une Australasie qui vous empêche d'être heureux, hommes radio-téléguidés ! Il y a toujours une guerre quelque part, comme une esthétique de la politique. Sans la guerre, plus de sublime : il faudra alors s'en remettre à d'autres divertissements, à l'Art, par exemple.

Notre langage à nous autres artistes est à la portée de toutes les oreilles, et de tous les yeux, parce qu'il est chant, lumière, galbe, sourire. C'est donc à nous de préparer votre révolte. Nous écrivons la psychologie de la révolte avec des techniques d'oiseaux. Nous marchons sur le ventre des tyrans avec des pattes d'oiseaux, nous donnons l'alarme avec des cris d'oiseaux. Malheur à ceux qui moquent l'Art, seul ferment devenu possible de vos résurrections. Je ne clamerais que

pour un seul que cela vaudrait la peine d'être clamé. J'écris
pour moi, s'il le faut, je *me fais* mon univers de révolté.
Enfant déjà, dans mon lit, j'étais un meurtrier, les nerfs en
bave à la bouche et je désirais la mort instantanée de mes
tyrans d'alors. Depuis, je me suis écarté de la ligne commune
et je marche en marge, et je médite dans une tour que *je me*
suis payée avec mes paroles de révolte. J'ai toujours été seul.
Aujourd'hui j'accepterai peut-être de me mêler à vous, si vous
m'écoutez bien.

D'abord, les *journaux.* N'en lisez plus, ou bien alors
faisons-en un ensemble et dont je serais le rédacteur en chef.
Le journal est un poison où s'exténuent les démocraties. Les
journalistes sont des démiurges que démange un prurit de
littéraire. En achetant un journal vous payez pour votre propre malheur. Le talent de quelques-uns de ces plumitifs n'est
jamais à hauteur de votre cœur et flatte tout au plus certaines
de vos passions apprises à l'école. Je ne parle pas aux imbéciles, en ce moment, mais aux hommes qui se reconnaîtront
à me lire et qui me prennent par le bras comme on prend un
ami, son frère. Le journal est votre maître à penser, mais un
maître *qui sait,* un qui connaît la question. Le journal est une
idée de financier, c'est aussi le bâton de la puissance. Brûlez
le journal, vous brûlerez le bâton, et la puissance s'évanouit.
N'oubliez pas qu'en achetant Machin-Soir, tous les soirs, vous
achetez un patron portable, que vous installez chez vous et
que vous écoutez. Avec celui de l'usine cela fait un peu trop
dans la journée. Il vous dit d'aller à Colombes pour le match
France-Angleterre. N'y allez pas. Allez plutôt voir les fleurs
dans un jardin, même dans un jardin photographié. L'évasion
n'est jamais qu'une construction de l'esprit.

LETTRE AU MIROIR

Tu es la photo fugitive où veillent des cadences, Miroir, matière où la lumière se casse et réfléchit un songe de molécules. Narcisse t'a sacré et ton règne s'égare aujourd'hui au fronton des magazines en y fixant tes images mouvantes. Tu finis dans l'encre et le papier glacé.

Peindre ton vide, ta nudité, ce serait là le comble de l'épure. Dans le néant, tu fais des rêves de néant et nous en donne la réplique. Rêve donc tout seul !

L'impassibilité de ton lac où frisent des participes me glace : « J'ai été belle ! Reine, les gens se prosternaient devant moi et tu gardes dans quelque ombre de tain la courbe de leurs oraisons. Redis-moi les génuflexions, les grâces, les pénitences, redis-moi ma peau de neige et son délire de rose dans les bras de la passion, raconte-moi une fois encore avant que je ne passe à travers toi pour me perdre et me mordre la queue, pour renaître à la clarté des yeux étrangers, raconte-moi les heures où me fardant tu reflétais l'inutile beauté dont j'étais insouciant et tout enclose dans la mémoire des rides... ».

Tu es une eau solide que l'on boit du regard et qui grise, une eau dormante où gît le temps dont tu as pris le risque. Le temps, dans les miroirs, n'est plus le temps des hommes, il est figé, nu, grave. Il se pourrit d'éternité.

Dans la nuit tu allumes des tempêtes et, au bord du vide, ta position de dormeur éveillé inquiète l'aventure. Dans les yeux de la Femme je te soumets et me dédouble, mais ton privilège de brillance a tôt fait de vaincre mon pauvre regard dans l'abîme des larmes. Toujours brouillés, les yeux, tes frères, s'éteignent d'un sourire, d'un spasme. Toi, tu projettes alentour de ton champ d'investigation des aveux formels, l'Être, et non plus la chair. Ma main sur toi, comme une caresse, caresse une autre main, celle que j'invente, en revers, et dans mes yeux je vois ma nuque. L'Être ne se regarde pas.

Je voudrais que tu me rendes mes pensées d'autrefois ou l'autrefois de mes pensées, ce qui m'est indifférent puisque les pensées n'ont ni passé, ni avenir et meurent d'un présent multiforme et statique. L'autrefois, que tes images ont catalogué au fond d'un plat sinistre où cuisent des fantômes, est un adverbe qui nous distrait de l'oubli. Les adverbes toujours nous trompent. Les adverbes sont frauduleux. Quand ils sont vieux, quand ils ont trop usé nos paroles avides, on les substantivise, on dit « l'autrefois », le « toujours », le « jamais », « l'ailleurs »... Oui, l'ailleurs... Tous ces mots, quand ils te regardent, que leur reflètes-tu ? Ils se cassent la figure sur ta transparence avortée. Car nous te regardons avec des mots : les yeux, les lèvres, les cheveux gris, les cernes, les rides... Ah ! les rides, elles ont fait ta fortune, tu n'es qu'un attirail de vieux et de coquette, tu es un complice qui ne ment jamais, mais qui veut bien sourire si l'on te sourit...

Quand je passe devant toi, dans le couloir, tu me renvoies l'image d'un piège : c'est toi l'oiseau et moi la glu, et je me colle à toi, bouche à bouche et la brume de nos haleines n'est qu'une gaze de nausée... Des fois, j'ai voulu plonger dans ton eau pure, pour sonder ta mémoire abyssale. Je n'en suis jamais revenu. J'ai dû me perdre dans des coutures. Le cas de Narcisse est un cas d'urgence : l'urgence de l'urgence, le drame du drame, le rire du rire... Tu n'es que l'écho des petits problèmes. Tu es le bégaiement de nos alarmes.

Si la réflexion n'existait pas, si l'eau claire non plus n'existait pas, si la photo et tous ses dérivés non plus n'existait pas, enfin si nous n'avions aucun moyen de « nous voir », de « nous regarder », pourrions-nous compter sur l'Autre, sur l'Étranger, pour nous dire comment nous sommes faits, pour nous dire notre nez, nos regards ? Il faudrait peut-être nous couper la tête et la mettre en face de nous ! Une tête de Venise, une tête Louis XVI, une tête de veau ? Nous nous prendrions peut-être pour des veaux à tête plate, il suffirait que d'autres nous le disent : — Tu as une tête de veau, mais plate... Alors, la nuit, nous la prendrions cette tête, entre nos mains, en nous disant : « Je ne suis qu'un veau... ».

Que la laideur de l'homme serait à l'aise si tu n'existais pas, quel alibi ! Fugitive photo où veillent des cadences, où la lumière se casse et réfléchit un songe de molécules...

Quand je pense que tu n'as pas encore vu que je me teignais les cheveux ! Tu ne vois donc pas la Vérité ? Au fait, qui la voit ?

★

A LA FOLIE

Madame,

J'étais dans une table des matières à me morfondre, dans un livre de références — entre un terme de marine et un terme de numismatique — et je vivais d'expédients, soudoyant la syntaxe, crachant du vocabulaire, improvisant des épithètes. J'eusse donné mon néant pour sortir de cette impasse, que l'on me prît avec ma pauvre syllabe, mon informe phonation, pour faire n'importe quoi, pour servir n'importe quel prétexte. J'étais le mot « Croup ». A France-Soir on ne voulut pas de moi.

Alors vous m'avez donné la main.

J'avais des hiboux de choc plantés sur l'éclairage municipal et qui défendaient mes yeux de dormeur éveillé. Je passais mes nuits sous leurs ailes. Nous avions des radios optiques pour communiquer. Les sons, je les voyais. Je voyais l'aigle d'Hutchinson trompeter, les chevaux de mon ID s'ébrouer, la souris de la rue des Capucines chicoter. Je voyais les clameurs de la rame sous le massicot et Flaubert, impassible, la tête sous le subjonctif, les gorges des rossignols peintes au gargyl et chantant des sérénades pharmaceutiques, les sanglots du gravier malmené sous le flux de mes pas. Je voyais le chameau de mon manteau de 1928 blatérer, les chiens de fusil d'après l'amour clabauder, l'éléphantiasis barrir. Je voyais la plainte du pointillé justement découpé d'après la notice, les lamentations dunlopillo dans le silence du rayon d'ameublement de l'éternel Printemps emprès l'Opéra, les protestations métalliques de la boîte de petits pois surfins ébouillantés deux fois.

Alors vous m'avez souri.

Nous marchions ensemble depuis la dernière glaçation.

Je voyais d'autres cris, l'obésité de la rue quand les services de voirie la laissait s'empâter et qu'elle gémissait sous sa peau tendue. La poétique de la ville n'était qu'une vision extatique que mon œil formulait et que je contrôlais en permanence à l'aide de petits instruments que j'avais fabriqué : une lunette spéciale pour voir les glouglous s'échappant du caniveau, place Clichy, à l'aube du 12 mars 1953, les bras en ficelle autour de l'abstraction et l'œil auditeur, bien entendu, un papier-verre pour nettoyer les idées imbéciles se promenant dans la rue, en rangs d'écoliers, un couteau à trancher le spectre, une bille à rouler l'indicible — une bille qui n'amassait pas la mousse et qui changeait de couleur à chaque révolution autour de mon système solaire, une grille pour lire les écritures, une pour l'indo-européen, une pour le sanscrit, une pour les cigales, une pour les microbes criant sous le flot de pénicilline et qui attendent le jusant sous le doigt de Dieu du thermomètre-minute. J'étais toujours le mot « Croup ».

Alors vous m'avez dit : « Viens ! »

J'en voyais de toute sorte. Un soir, à Montparnasse, une vieille de soixante, et qui s'ouvrit à ma voix, derrière une roulotte abandonnée, et cette femme dérivait sur mon orbite, et elle me parlait avec l'accent yiddish... et ma main dans la poche, je rentrais à l'Hôtel Excelsior et me rebâtissais sa jeunesse. L'inquiétude de la chair, chez une vieillarde, cela me semblait formidablement attachant. Je ne me lavais plus les mains, j'en avais pour quelques jours à susciter ma mémoire. Je la hélai, elle s'arrêta, nous nous signâmes d'un commun accord et j'étais sous elle. Son système ébahi, je le revois dans la pénombre de sa chair non datée et vibrante comme à ses premières richesses, autrefois. L'huile des femmes est douce comme l'olive, parfumée comme l'arachide, persistante comme la noix.

Glisser dans leur couloir cette perle inconsciente...

180

Alors vous m'avez dit : « Tu es fou, mon petit... »

Que d'enfants ai-je fait aux femmes inconnues
des rouges des pâlis des portes de secours
Dans les cafés souvent je buvais leurs vertus
Devant mon verre blême une source d'amour

Ma tête dans la brousaille aigre de leur fente
Je demandais de la monnaie au préposé
Cent francs et quatre femmes mesurant la pente
Que je leur musiquais avec mes yeux gavés...

Le petit père Kanters n'en croyait pas son comité de lecture, il gardait de Denoël cet air absent et catéchiste qui fait les grands éditeurs méconnus. La tristesse de cet individu me coupait comme une boîte de conserve mal vidée, quand on y va avec la langue. Et *Lux perpetua luceat eis...*

Alors vous vous êtes mise à ressembler à quelqu'un. Mon Dieu, quelle bouche !... une cerise d'hiver.

Madame, vous êtes une feuille d'automne. Votre parure est couleur feu et mes yeux mimétiques vous enveloppent de flammes quand ils vous regardent. Vous avez un joli nom, Folie, un nom de cosmétique sur la tête du corbeau de Monsieur Poe. Jamais plus de rideaux à ma fenêtre, jamais plus, jamais plus de rideau à mon théâtre, jamais plus... Je suis votre boulet, votre haine, votre supplice, et vous êtes ma contrebasse et ma brosse à cheveux d'étoiles fileuses qui filent le parfait amour sur cet univers à bulle de savon et à nègres authentiques, qu'ils soient noirs dehors ou dedans, peu importe ! La couleur est affaire de sentiment.

Je sentais l'absurde, une odeur de végétal trahi, un para-vent, une chimère. J'étais malade, cassé. Mes béquilles de verre faisaient un bruit de pattes mathématiques sur les pavés de marbre de votre maison.

Alors vous m'avez dit : « Entre ! »

Quelle maison ! Je m'en souviens, les pièces mûres comme des fruits tropiques, des meubles indifférents comme le style du vide, les effrayants tapis de laines voyantes, et la vaisselle... la vaisselle du creux de l'ennui où je buvais longtemps, et vos objets !... les délices du Verbe, l'accent aigu sur l'or des hommes ; la préposition devant l'âtre, et vos propositions devant l'Être... Mort debout, tout contre votre idée, je ne pourrissais plus. Mais avant, nous fîmes l'amour, du mauve, rien que du mauve et puis de l'innocence. Dehors il plut. Nous sortîmes par vos masques, lentement, avec préciosité, et tout penchait autour de nous, les arbres, les plis d'ombres, les roses pâleurs du soleil couchant. On était bien. On calculait nos chances et le sublime s'y mêlant, des lianes nous enrou-laient de Palestrina, tout chantait autour de nous, tout palpait, tout coulait comme un miel, tout finissait comme un missel. C'était très beau, follement beau. Nous étions toujours l'un à l'autre, comme deux feuilles accolées d'un papier bible et pour nous séparer il fallut qu'un oiseau des îles, infime, petit, petit, vînt immiscer son bec entre nos songes...

Alors vous m'avez dit : « Je m'appelle Madeleine... »

TABLE

Présentation par CHARLES ESTIENNE
    Portrait d'un homme 5
    Ta parole ma parole 49
    La vie moderne 50
    Moralités et Dits du monde 54
    Ce cœur en écharpe 55
    L'amour, l'étang chimérique et l'âge d'or 56

CHOIX DE TEXTES

CHANSONS

    L'opéra du Ciel 59
    Barbarie 62
    Le temps des roses rouges 64
    L'étang chimérique 66
    Saint-Germain-des-Prés 67
    Paris-Canaille 69
    L'homme 74
    Merci mon Dieu 77
    La grande vie 79
    Vitrines 83
    Dieu est nègre 86
    Le piano du pauvre 88
    L'été s'en fout 91
    L'âme du rouquin 93
    Mon p'tit voyou 95
    La chanson triste 97
    La zizique 99
    Ma vieille branche 104
    Monsieur mon passé 106
    Les copains d'la Neuille 110
    Graine d'Ananar 113
    La fortune 116
    Java partout 118

La poésie fout l'camp Villon ! 121
Les quat' cents coups 123
La faim 126
La gueuse 129
La poisse 131
Jolie môme 134
Les poètes 140
Thank you Satan 142
Si tu t'en vas 145
La vie est louche 147
T'es Rock, Coco ! 151
L'art d'aimer 153
Chanson pour elle 156
Ça t' va 157
L'amour 160
Où vont-ils 161

POÈMES 163
    Les chants de la fureur 167

PROSES 172
    Le style 172
    Lettre au miroir 176
    A la folie 178

Achevé d'imprimer
sur les presses
de l'imprimerie Wallon,
à Vichy, le 20 octobre 1984.

D.L., 26-10-84. — Editeur, n° L 108

Imprimeur, n° 2272

Imprimé en France

‹ POÈTES D'AUJOURD'HUI ›

Apollinaire, par D. Oster

Aragon, par G. Sadoul

Artaud, par G. Charbonnier

Charles Baudelaire,
par L. Decaunes

Mathieu Bénézet, par B. Delvaille

William Blake, par J. Rousselot

Yves Bonnefoy, par J. E. Jackson

André Breton, par J.-L. Bédouin

René Guy Cadou, par M. Manoll

Constantin Cavafy, par G. Cattaui

Blaise Cendrars, par Louis Parrot

Aimé Césaire, par L. Kesteloot

René Char, par P. Guerre

Andrée Chedid, par J. Izoard

Jean Cocteau, par R. Lannes

Michel Deguy, par P. Quignard

Marceline Desbordes-Valmore,
par Jeanine Moulin

Robert Desnos, par P. Berger

André Du Bouchet,
par P. Chappuis

Jacques Dupin, par G. Raillard

Jean-Pierre Duprey,
par J.-C. Bailly

Paul Eluard, par L. Parrot et
J. Marcenac

Jean Pierre Faye,
par M. Partouche

Léo Ferré, par Ch. Estienne

Jean Genet, par J.-M. Magnan

Edouard Glissant, par D. Radford

Julien Gracq, par A. Denis

Guillevic, par J. Tortel

André Hardellet, par H. Juin

Georges Henein, par Alexandrian

Philippe Jaccottet, par A. Clerval

Hubert Juin, par G. Denis

Mallarmé, par P.-O. Walzer

Marinetti, par G. Lista

Henri Michaux, par R. Bertelé

Pablo Neruda, par J. Marcenac

Gérard de Nerval, par J. Richer

Marie Noël, par A. Blanchet

Benjamin Péret, par J.-L. Bédouin

Fernando Pessoa, par A. Guibert

André Pieyre de Mandiargues,
par S. Stétié

Francis Ponge, par M. Spada

Rainer Maria Rilke,
par P. Desgraupes

Arthur Rimbaud, par L. Ray

Yannis Ritsos, par C. Prokopaki

Armand Robin, par A. Bourdon

Denis Roche, par C. Prigent

Robert Sabatier, par A. Bosquet

Saint-John Perse, par A. Bosquet

Pierre Seghers, par P. Seghers

Victor Segalen, par J.-L. Bédouin

Léopold Sédar Senghor,
par A. Guibert

Philippe Soupault, par H.-J. Dupuy

Jules Supervielle, par C. Roy

Jean Tardieu, par E. Noulet

Tristan Tzara, par R. Lacôte et
G. Haldas.

Ungaretti, par Y. Caroutch

Paul Valéry, par J. Charpier

Franck Venaille, par G. Mounin

Paul Verlaine, par J. Richer

Boris Vian, par J. Clouzet

Claude Vigée, par J.-Y. Lartichaux

‹ POÉSIE ET CHANSONS ›

Charles Aznavour,
par Yves Salgues (4)

Barbara,
par Jacques Tournier (10)

Georges Brassens,
par Alphonse Bonnafé (2)

Jacques Brel,
par Jean Clouzet (3)

Diane Dufresne
par G. Beauvarlet (49)

Yves Duteil,
par Elisabeth Chandet (44)

Jacques Higelin,
par L. Rioux
et M. Wathelet (43)

Serge Lama,
par Cécile Barthélémy (24)

Boby Lapointe,
par Jacques Donzel (48)

Bernard Lavilliers,
par Michèle Wathelet

Maxime Le Forestier,
par L. Rioux
et G. Beauvarlet (46)

Francis Lemarque,
par André Blanc (26)

Claude Marti,
par Roland Pécout (27)

Hélène Martin,
par Alain Dran et
Philippe Soupault (33)

Herbert Pagani,
par André Bercoff (40)

Pierre Perret,
par André Blanc (41)

Edith Piaf,
par Gilles Costaz (25)

Renaud,
par Jacques Erwan (47)

Alain Souchon,
par Richard Cannavo (42)

Charles Trénet,
par Michel Pérez (6)

Cora Vaucaire,
par Gilles Costaz (21)

Joan-Pau Verdier,
par Louis-Jean Calvet (37)